火山
地球の脈動と人との関わり

藤井 敏嗣 著

SCIENCE PALETTE

まえがき

　地平からそびえたった高まりから真っ赤なマグマのしぶき
を噴き上げたり，天上にまで達するかのように激しく噴煙を
噴き上げる火山は，古代においては畏敬の念をもって敬われ
てきた．このような感情は万国共通のようで，各地の神話な
どには火山の神が多く登場する．そもそも火山を意味するボ
ルケーノ（volcano）は，ギリシャ神話における鍛冶の神，
ブルカン（Vulkan）に由来する．世界の火山神としてとくに
有名なのは，ハワイのペレという女神である．ハワイの火山
噴火は怒ったペレによって引き起こされるとされ，噴火によ
って放出されるマグマのしぶきの一部で特殊な形状をした火
山ガラスはペレの髪の毛や涙とよばれている．

　日本でも富士山の神はコノハナサクヤ姫とよばれる女神で
あるとされ，富士浅間神社などに祀られている．富士山に限
らず，わが国では火山噴火が起こると，火山の近くに神社を
建立し，あるいは神社に位階を授けたり，昇格させたりし
て，神の怒りを鎮めようとした．このため，阿蘇や三宅島の
神社のように，非常に位階の高い神社もある．

　現代でも火山噴火に遭遇すると荘厳な感情を抱いたり，畏

敬の念を感じるのは同じだが，このような神に祈り，鎮める
やり方では火山災害を軽減できないことを現代人はよく知っ
ている．このため，火山噴火の時期や推移をあらかじめ把握
することを目指して，各火山でさまざまな観測研究が行われ
ている．しかし，長年の研究にも関わらず，火山噴火の発生
を予知し，噴火推移を的確に予測し，事前に火山災害から確
実に逃れる手法は確立していない．多くの火山を有する火山
大国とよばれるわが国に生活する住民としては，どのように
すればよいのだろうか．

　的確な予知手法が確立していないことは，火山噴火の際に
行政が適切な避難情報などをタイミングよく発出できるとは
限らないことを意味する．行政の指示を待っているだけでは
火山災害から確実に逃れることができない．このため，個々
人が火山についての正しい知識をもち，噴火に遭遇した時に
自ら身を守るための対応を判断できることが望まれる．

　火山についての知識をもつことが望まれるのは，火山の近
くに住む住民だけではない．風光明媚で温泉も豊富な火山地
域は観光の重要な要素であり，多くの観光客が訪れる場所で
もある．また，火山は遠くの景色を楽しむことができる登山
の対象でもある．このため，火山のない地域に住む人々も観
光客や登山客として火山地域を訪れ，時として火山噴火に遭
遇することになる．

　火山に関する正しい知識は，噴火から身を守るために重要
なだけではない．火山地域を観光や登山で訪れたときに，火
山がどのようにしてできたのか，噴火によってどのような現
象が生じるかを知っていると，火山をさらに楽しむことがで

きる．いま，自分が踏みしめている岩石がどのような経緯でそこにあるのかに思いを巡らすことによって，景色を楽しむだけでなく，知的好奇心を満足させることもできるのである．

　本書では可能な限り，最新の火山に関する研究結果を反映するように努力したが，あくまでも一般の読者向けの解説を心掛けたので，火山を専門的に学びたい人には物足りない部分や不十分な点もあるとは思う．そのような方は巻末に掲げる参考書にも手を伸ばしてほしい．

　第1章では火山や火山からの噴出物についての基本的な事柄をおさらいする．第2章は火山噴火に伴うさまざまな現象について述べる．第1章と第2章はいわば火山入門である．これは第3章で展開するわが国でこれまでに起こった多様な火山噴火の事例を通じて，火山噴火とはどのようなものか，どのように進行するのかを理解するために必要な基本的な用語の解説という意味合いもある．

　第4章と第6章では火山噴火を引き起こすそもそもの原動力であるマグマについて，その特徴や発生から噴火に至るプロセスについて述べる．マグマの発生については，マグマのふるさとともいうべき，地球内部のマントルの知識が必要となるので，途中で第5章として地球内部の構造と物質についての簡単な記述を挟んだ．

　第7章では火山を理解するための研究について，観測の歴史を踏まえたうえで，火山を調べ，理解するための火山学の多様な手法を紹介する．

　第8章では第2章で述べたさまざまな噴火現象が引き起こ

す多様な災害について述べ，第9章ではこのような火山災害を免れ，軽減するための火山防災の現状と課題について述べる．

最後の第10章では火山の恵みについて述べる．火山は，いったん噴火が発生すれば災害をもたらすこともあるおそろしい存在であると同時に，我々にさまざまな恩恵も与えてくれる存在であり，火山地域に現在生活する住民にとって過去の火山噴火があったからこそ貴重な生活の場を得ることができたことも理解してもらいたいと思う．

火山を理解するための研究分野は火山学とひとまとめにされるが，じつは地質学，岩石学，地震学，測地学，地球電磁気学，地球化学の広い研究手法を必要とする分野である．噴火で発生する噴煙の物理を研究するためには気象学や海洋学の知識も必要なのだが，本書では深入りしない．文中では数式を使わない解説を心掛けたが，専門的に学ぶ人にとってはそれぞれの分野で数式や数学も不可欠であることを理解していただきたい．

2023年6月

藤井　敏嗣

目　次

第1章

火山とはなにか

　火山とは，地下からの噴出物によってつくられた地形のことをさす．火山の中にはマールやカルデラとよばれるような凹地形をなす場合もあるが，一般には高まりの地形，すなわち「山」をつくることが多い．

　ローマ帝国の提督で，かつ著名な博物学者であった大プリニウスをはじめとする多くの博物学者，地質学者が遭遇した火山噴火や，噴火によってもたらされ火山を構成する噴出物についての記述を重ねてきた．また，19世紀以降，イタリアのヴェスヴィオ火山をはじめ世界のいくつかの火山には観測所が置かれ，静穏な時期から活発な噴火活動が行われるようになる時期まで連続して観測が行われるようになると，火山噴火についての知見も増大してきた．火山噴出物の解析や計算機シミュレーションによって地下のマグマの状況を推測することも一定程度可能になっている．このような先人の記

述や近代的観測機器を用いて得られた我々現代人の知見を参照しながら，まずは火山や噴火を理解するための基本的な事項をおさらいする．

火山の寿命と活火山

火山は途中で何度か噴火が生じない休止期間を挟むこともあるが，多くの場合，長い期間にわたって活動を続ける．噴火活動を続けている間には，噴出物を周辺に堆積して大きくなるが，その後，噴火活動が終わり火山の成長も止まる．噴火活動が終わると，侵食作用によって山体は消失することになる．

わが国の火山の寿命は数十万〜百万年程度である．人間の寿命のおよそ1万倍程度であるから，人間のスケールで火山の状態を測ることは困難であるが，火山を人間になぞらえ，活動を終えた死火山，休止している休火山，活動している活火山に分類しようとした時期がある．

最初に誰がこの3分類を提唱したかは定かではないが，1918年に，震災予防調査会報告第87号として出版された『日本噴火志（下巻）』で，大森房吉がこの3分類を用いている．

大森は伊豆大島や有珠山のように数十年おきに時々噴火し，噴火がないときも多少の噴煙の見られる火山は「活火山」で，歴史時代に数回程度噴火したことはあっても，その後は長い年月噴火せず，噴煙なども見られなくなった火山を「休火山」と称すべきであるとしている．休火山の例として，

宝永噴火以降210年間（当時）噴火していない富士山を挙げるとともに，浅間山は活火山ではあるが，1108年の天仁噴火以前の状態は休火山であるとしている．また大森は長い年月とはどの程度であるかは明らかにしていないが，富士山の例をもち出したことから推測すると，数百年間程度らしい．いずれにせよ，休火山とはしばらく噴火を休んでいる火山であり，再度噴火を開始すれば活火山になるとしているのである．火山の分類というよりは，むしろ火山の状態の分類だったのである．

　ところが，一般社会ではこの3分類法が火山の状態の区分ではなく，火山そのものの分類として用いられてきた．この原因として，義務教育や高校の社会科の副読本にあたる地図帳の資料編に火山の分類として，この3分類法が比較的最近まで掲載されてきたという事情がある．これにより，比較的年代の若い世代でもこの3分類法を知っていて，富士山は活火山ではなくて休火山ではないかと問う人もいる．その趣旨は，休火山であるから噴火することはないだろうという理解のようである．

　大森の3分類法から数十年たつと，わが国の火山学の分野では休火山や死火山という言葉はほとんど使われなくなった．そのきっかけはIAV（国際火山学協会，現在はIAVCEI：国際火山学および地球内部化学協会）による世界の活火山カタログの作成であったと思われる．活火山カタログ第1号の出版は1952年であるが，日本周辺火山がリストアップされたのは1962年である．

　このカタログでは活火山とは将来的に噴火の可能性がある

火山であり，その判断基準として歴史時代に噴火したことがあるか，記録はないものの現在も活発な噴気活動を行っていることとしている．カタログでは，数百年以上噴火していない火山に対しても「休火山」という名称は使用せず，活火山としている．

そもそも，将来噴火する可能性のある火山を活火山と定義した時点で一時的に休んでいる「休火山」も当然，活火山に含まれることになるので，火山の分類としての上記の3分類は論理的に破綻する．このこともあって，わが国の火山研究者の集まりである日本火山学会では「休火山」という用語を使わないことを推奨している．

ところで将来噴火の可能性のある火山と定義した活火山の判定基準についても時代とともに変化している．

IAVの活火山カタログ以来，わが国を含め多くの国が，歴史時代に噴火したことがあるか，噴火の記録はなくとも活発な噴気活動のある火山を活火山とみなすという基準を採用していた．しかし，歴史時代の長さは国によって異なる．紀元79年の噴火を詳細に記述した国もある一方で，わが国における最初の噴火記録は『続日本紀』に記述のある708年の桜島噴火である．

さらに，いわゆる新大陸では先住民が文字をもたなかったために15世紀半ば頃にはじまる大航海時代までは噴火記録がなく，世界的に活火山の噴火活動を比較しようとする際には年代の区切りが国ごとに異なるため不都合が生じる．このため諸外国でも，将来噴火の可能性のある火山としては，歴史記録だけでなく，噴出物の放射年代結果なども活用して，

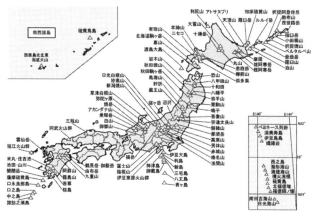

図 1 活火山分布

およそ 1 万年という年代で区切るのが適当であると考えられるようになった．

　わが国も当初は「噴火記録があるか，噴気活動の活発な火山」を活火山とすると定義しており，1975 年当時は活火山が 77 ということになっていた．その後 1991 年には，噴火記録はなくとも最近 2000 年以内に噴火したことが判明すれば，活火山とみなすということになり，83 火山が活火山として認定された．さらに調査が進んで，2000 年以内に噴火したことがわかった 3 火山が追加され，86 火山になったのは1996 年である．

　2003 年には，世界のトレンドに従って「最近 1 万年以内に噴火したことがあるか，現在も噴気活動が活発な火山」を活火山とよぶと定義を変更した．これによって 108 火山が活火山とされたが，その後の調査で 1 万年以内の噴火が確認さ

れた火山が増えたために，2011 年に 110 火山に，2016 年には 111 火山になった（図 1）．このような設定は，気象庁が火山噴火予知連絡会に諮問して行っているが，今後も，調査研究が進めば活火山の数が増える可能性がある．

このように活火山は人為的に定義したものであり，火山が数十万〜百万年程度の寿命をもつ以上，1 万年以上の静穏の後，噴火する火山もありうることは想定しておく必要がある．

複成火山と単成火山

火山には寿命があることは先に述べたが，その一生の送り方によって，火山を複成火山と単成火山に区分することがある．

複成火山は同じ場所から，つまり，火口の位置はほとんど変えずに噴火を繰り返すことによって形成される．わが国の火山の多くはこの複成火山にあたる．

単成火山は 1 連の噴火活動だけで終了してしまうもので，通常は数年〜数十年程度の寿命が多い．複成火山にも中心火口以外の場所から噴火が発生して火口をつくることがよくあり，側火口あるいは側火山とよばれるが，このような側火山も一連の噴火活動だけで終了してしまうので，単成火山の一種である．

また，比較的狭い領域に複数の単成火山が密集することがあり，このようなものは単成火山群とよばれる．それぞれの火山の寿命は短いものの，火山群としての寿命は数万〜百万

年程度までさまざまである．わが国では単成火山群として，静岡県伊東市の大室山，一碧湖，伊豆半島と伊豆大島の間にある海底火山群などを含む伊豆東部火山群，山口県の青野山を含む阿武単成火山群，長崎県の福江島の福江単成火山群などが知られている．1989年に静岡県伊東市の沖合で海底噴火を起こし，手石海丘とよばれる海底の火口を残した噴火も伊豆東部火山群の活動の一つであり，約3000年前のカワゴ平の噴火以来の活動であった．

　噴火の繰り返しによって成長する複成火山はその成長のしかたによって，成層火山と楯状火山とに分類される．成層火山は静かに溶岩流を流し出す時期と，爆発的な噴火を繰り返して火砕物（テフラ）とよばれる岩石片・火山灰を堆積する時期を交互に繰り返しながら成長する火山で，大きな円錐状の山体をつくる．わが国の火山の多くはこの成層火山であり，典型的なものが富士山である．一方，楯状火山はほとんど爆発的な噴火を行わず，したがって火砕物をほとんど放出せずに溶岩流がほぼ全方位に流れて，ゆるやかな傾斜の山体を形成したものである．比較的粘性の低い，流れやすい溶岩流で形成され，盾を伏せたようななだらかな形状をなすことから楯状火山とよばれている．ハワイのキラウエア火山やマウナロア火山がその典型例であり，多くの場合直径 100 km 以上の巨大な山体をつくる．わが国ではこのタイプの楯状火山は知られていない．

火口：火山の成長点

　火口とは火山体の一部で，固形物やマグマを放出して形成されたくぼみのことであるが，火山の成長点でもある．通常，火口の周辺には放出した岩石片などが堆積して高まりをつくることが多いが，爆発的な噴火によって生じた比較的小さな火口の中には，地表のくぼみのみが生じ，周囲に堆積物をほとんど残さないことがある．このような火口をマールとよぶ．マールの中には地下水面を切って火口をつくり，水をたたえて火口湖をもつものが少なくない．男鹿半島の一ノ目潟や三ノ目潟などはこの例である．

　火口の周辺にマグマ片や岩石片を積もらせて高まりをつくる火山体のうち，比高が低いものはタフリング，比高が目立つようになったものをタフコーンとよび，多くの場合マグマと地下水や浅海の海水との接触によって生じたマグマ水蒸気噴火とよばれる爆発的な噴火によってつくられる．1983年の三宅島噴火でも南海岸の新鼻にタフコーンが形成されたが，今ではかなりの部分が侵食されてしまった．

　玄武岩質や安山岩質のマグマが火口から噴出する際，火砕物（テフラ）が空中高く放出されて火口から一定距離の場所に着地するため，最初ドーナツ状の高まりをつくる．さらに放出が続くと，斜面の傾斜が安息角を超えるようになり，着地した火砕物は斜面を転動しながらすそ野を広げるとともに比高を増していく．最終的にすり鉢を逆さにしたような円錐形の小丘を形成するが，このような小丘を火砕丘あるいはスコリア丘という．火砕丘の斜面の傾斜は一定で，すそ野を引

かない．静岡県伊東市の大室山や熊本県の阿蘇山の米塚はこの典型であり，千円札の裏面に印刷されたことで有名な富士山北麓の大室山も火砕丘である．このようなタフコーンや火砕丘は単成火山であり，その高さも限られるが，成層火山は同じ火口から長期間噴火を繰り返すので成長に合わせて火口の高さも高くなる．

　玄武岩質のマグマが噴出する場合，山体に直線状の割れ目ができて，その割れ目からマグマを噴水のように噴き上げることがある．このような火口は割れ目火口とよび，勢いが激しいときは割れ目全体からマグマを噴き上げるために，板状にマグマが噴出しているように見え「火のカーテン」とよばれる．ハワイのキラウエアやマウナロアの噴火ではよく見られる現象であるが，1983年の三宅島噴火や1986年の伊豆大島噴火でも「火のカーテン」が見られた．

　火口の直径が2kmを超える場合にはその火口をカルデラとよぶ．カルデラは大鍋という意味のスペイン語であるが，一般に鍋のような底の浅い円形の形状を示す．比較的小さなカルデラは爆発的な噴火によってつくられることが多いが，ほとんど爆発的な噴火を伴わないまま，ピストン状の陥没が続いてカルデラがつくられることがある．三宅島2000年噴火でできた火口がその例である．この火口は直径が1.7kmなので厳密にはカルデラとはよべないが，この小カルデラの形成期にはほとんど爆発的噴火が起こらず，山頂部の断続的な陥没によって最終的には深さ400mほどのカルデラ地形が形成された．

　ある火山が活動をはじめると隣の火山と地下でマグマがつ

ながっているので次に隣の火山が噴火するなどと騒がれることがある．たとえば，箱根山の大涌谷で2015年に噴火が発生したときには，近くにある富士山が次に噴火するのではないかと一部のマスコミがはやし立てた．しかし，このようなことは通常は生じない．各々の火山は独立のマグマによって形成され，よほど近接した火山でない限り，マグマがつながっているというようなことはないからである．

火山岩

噴火によってマグマが地表に噴出するか，地表近くに貫入して冷却固化したものを火山岩という．火山岩の多くは小さな空洞をもつことが多い．この空洞はもともとマグマの中に含まれていた気体成分（揮発性成分ということもある）が，マグマが地表に近づくことによる圧力の低下のために，マグマ中に溶け込めなくなり気泡となって存在していた痕跡である．

一般にマグマが地下深くにあるときは，地下の高圧のため気体成分はマグマに完全に溶け込んでいるが，地表に向かって上昇してマグマにかかっている圧力が下がると，マグマ中への溶解度が低くなるため，過剰な気体成分は噴出前には気泡としてマグマ中に析出する．

粘性が低いマグマの場合，この気泡の多くは噴出前にマグマから抜け出すものの，一部は地表に噴出後もマグマ中に残る．この気泡がマグマから完全には分離しないままマグマが固化すると，火山岩中の球状の空洞として保存される．軽石

とよばれるものは，この空洞がたくさんあるために水よりも軽い．海底の噴火などで軽石が噴出すると，軽石が浮き上がって海上に軽石の帯（軽石いかだともよばれる）が出現することがある．最終的には軽石の空隙に海水が侵入するか，細かく砕けて空隙の占める割合が少なくなると，海水よりも重くなって海底に沈むことになる．マグマの流動が継続しているときにこのような気泡が存在していると，細長く引き伸ばされたパイプ状の空洞として保存されることもある．

火山岩の組織

多くの火山岩中には比較的大きな結晶がより細粒の基質のなかに散在する．このような組織を斑状組織とよび，大きな結晶を斑晶，細粒の基質を石基とよぶ．また，基質より大きいが斑晶より小さいものを微斑晶とよぶ．もともと，相対的な大きさで，肉眼で確認できるサイズのものを斑晶などとし，明確にサイズを定義することはなかったが，最近では0.3 mm 以上を斑晶，0.3〜0.01 mm を微斑晶，0.01 mm 以下を石基と定義する人もいる．

一般に，石基の部分は噴火の直前まで液体状態にあったものが，地表に噴出して急冷されるため，細かな結晶と粒間のガラスとなって固化した部分である．実際，冷却する速度が速いと石基部分の細かい結晶は晶出せず，ガラスだけとなることもある．たとえば，深海底に噴出してほぼ0℃の海水で急冷された玄武岩溶岩などの周縁部はガラスの生地に斑晶が散在している組織を示す．完全なガラスにならない場合でも，基質部分の結晶が細粒になることもある．このような部

分を急冷周縁層とよび，古い時代の火山岩の噴出時の環境を推定するための判定材料になる．

　しかし，もともと水などの気体成分をある程度含んでいるマグマは，火道とよばれるマグマの通り道を上昇して，マグマにかかる圧力が下がる過程で発泡が生じて，メルト中の気体成分が減ると，メルトの結晶化温度（リキダス温度という）が上昇するために結晶化が起こることがある．この場合には，噴火と同時に石基が急冷されても，ガラス質の石基中に多数の微小結晶（マイクロライト）が見られる．このような組織は有珠山 2000 年噴火で 3 月 31 日に噴出した軽石をはじめ多くの火山岩の石基に認められる．1707 年の富士宝永噴火の軽石にも認められ，爆発的噴火の要因の一つがマグマ中の水であったことをうかがわせる．

　一方，斑晶は地下のマグマ溜りですでに結晶化していた鉱物であり，マグマ溜りで時間をかけて成長したため比較的大きなサイズになったものである．したがって，斑晶はマグマ溜りで存在していた結晶，石基はその斑晶を晶出していた液体部分（メルト）ということになる．もちろん，現実には斑晶と思われている結晶がじつはマグマ中に取り込まれた既存の岩石の融け残った鉱物である場合もある．このように，明らかに既存の岩石の溶け残りである場合には，斑晶とはよばずに外来結晶とよぶ．火山岩の解析には外来結晶と斑晶との識別が重要である．また，火山岩の中には噴火前に地下で異なるマグマが混じりあい，噴出してできたものも多く，火山岩中の斑晶の起源を探ることによって，地下のマグマ溜りの様子を復元できることもある．

火山岩の分類

　火山岩を分類する方法として，火山岩を構成する鉱物の量比に基づくものと，火山岩の化学組成に基づく方法とがある．

　かつては火山岩を厚さ 0.03 mm まで削り，光を透過するようにした岩石薄片を顕微鏡で観察し，火山岩を区分する手法が主流であった．しかし，20 世紀後半からは蛍光 X 線分析法（XRF）などの機器分析が手軽に行われるようになったこともあり，最近では化学組成による分類が主流である．

　通常の火山岩の分類としては，火山岩の化学成分のうちで量比が最も多いシリカ（SiO_2）の重量％による分類が簡便であり，実用的である．この方法に基づくとシリカが 52％以下の火山岩は玄武岩，52〜55％は玄武岩質安山岩，55〜65％は安山岩，65〜70％はデイサイト，70％以上のものは流紋岩とされる．日本の火山岩の場合はこの簡便な分類法で問題となることはほとんどないが，海外の火山岩の場合にはこのような簡単な分類では表現できないものも多い．このことについては後にマグマの分類の項で詳しく述べる．

　ところで，このような火山岩はどのようなところで見られるのだろうか．玄武岩は日本の火山では決して多くないが，誰もが知っている富士山では見たり，触ったりできる．富士山の場合，99％以上が玄武岩でできた火山なので，道路の砂利など外部からもち込まれたものではなく，ちゃんとした露頭である限り，手に触れられる岩石は玄武岩だと思ってよい．

　玄武岩は黒いものだと思っている人は，ときとして裏切ら

れる．まだ高温のうちに空気に触れると，酸化されてやや黒みがかった赤色から赤レンガ色になることも珍しくない．そうかと思うと，灰色がかった，白っぽい溶岩もある．玄武岩なのに白っぽいのは，石基部分にガラスが少なくて，斜長石とよばれる鉱物がびっしりと結晶化している場合で，分厚い溶岩の内部のことが多い．玄武岩は伊豆大島や三宅島でも見られる．

　安山岩は，日本のほとんどの火山をつくっている火山岩である．浅間山や桜島の溶岩はみな安山岩である．通常は玄武岩よりも白っぽい見かけであるが，ときには玄武岩よりも黒っぽい色をしていることがある．これは多くの場合，石基の部分にガラスが多い安山岩で，のっぺりしたガラスは乱反射が少ないので黒っぽく見えるのである．

　デイサイトや流紋岩も安山岩と同程度に多い．わが国の爆発的噴火で放出された軽石の多くはデイサイトや流紋岩である．園芸でよく使われる鹿沼土もおよそ3万2000年前に赤城山の噴火でもたらされたデイサイトの軽石で，白っぽい，空隙だらけの様相をなす．

　南九州でシラスとよばれるものの大部分は流紋岩質の軽石からなる．後で詳しく述べるが火砕流とよばれる，地面をはうように高速で移動する粉体流からの堆積物である．

　デイサイトや流紋岩のうちガラス質の黒曜石（黒曜岩ともいう）は，石器時代には矢じりや石斧として珍重された．瀬戸内の姫島，伊豆の神津島や，長野県の和田峠，北海道の東北部の白滝などがよく知られた産地である．

火山噴火で噴出するもの

　噴火によって火口からマグマが噴出する場合，連続的な流体，すなわち溶岩流として地表を流れる場合と，空中に噴き上げられる際にマグマが破砕されて，大気によって急冷・固化し，ばらばらの岩石片となる場合とがある．

　火山噴火で放出されるものは，必ずしもマグマそのものや噴出時にマグマが固化した，本質物とよばれるものであるとは限らない．マグマの破片以外に火道周辺にあった古い岩石片を放出することもあり，これらは異質岩片あるいは外来岩片とよぶ．水蒸気噴火とよばれるタイプの噴火のように，地下での水蒸気爆発に伴って，地盤をつくっていた古い岩石片のみが噴出する場合もある．

　このようなマグマや岩石片のほかに，火山ガスも一緒に放出されるが，最も多い火山ガスは水蒸気であり，ほかに二酸化炭素（炭酸ガス），二酸化硫黄などが含まれる．

マグマの連続体：溶岩流

　火口から高温の流体として流れ出すため，夕方から夜にかけてはオレンジ色に輝き，さまざまな噴火のうちで最も美しい景色をもたらす．流れ方は，マグマの粘性や斜面の傾斜などによってさまざまであるが，流水と同じように基本的には最大傾斜の方向に流れる．

　マグマの流動性を支配する粘性（粘度ともいう）は化学組成や温度によって大きく変化する．同じ化学組成でも，マグマが次々と噴出して，冷却する間もないほど高い噴出率の場

合，マグマ全体としての見かけの粘性は低いままで流れる．
ところが噴出率が低いと，流れながら表面から冷却固化する
ため，見かけの粘性は非常に高くなることがある．

　玄武岩マグマのように粘性が低い場合は，比較的平らな場
所では薄く広がって流れ，結果として薄い溶岩として固まる
ことが多い．このような薄く流れる溶岩の場合，表面が冷却
固化した薄皮の内部が流動し，表面がなめらかな袋状の形を
した溶岩となることが多く，パホイホイ溶岩とよばれる．パ
ホイホイ溶岩は袋の一部が破れて内部のマグマがふたたび袋
状の溶岩を次々とつくることで前進する．場合によっては溶
岩の表面の薄皮がしわのようになり，表面に流動方向に湾曲
した縄を束ねたような構造ができた縄状溶岩とよばれる溶岩
ができることもある．表面の固化した部分が連続的に変形せ
ず，破断されてガサガサのクリンカーとよばれる固結部分が
つくられると，このような溶岩はアア溶岩とよばれる．「ア
ア」も「パホイホイ」もハワイ先住民の言葉に基づいてい
る．

　安山岩マグマのように粘性がある程度高くなると，溶岩流
の先端が崩れ落ちて，ガサガサの岩石がしきつめられた上を
内部の溶融状態の部分がゆっくりと，キャタピラのように進
行する．粘性が高いためゆっくりとしか移動しない．結果と
して，上下にガサガサの表面をもったクリンカーが発達した
分厚い溶岩として定置する．

　デイサイトや流紋岩になると，高い粘性のために，あまり
流動できずに火口周辺にうずたかく盛り上がることも多く，
溶岩ドームとよばれる形状をつくる．

比較的厚い溶岩流は上下からゆっくりと冷えるため，その過程で内部が収縮して柱を平行に並べたような柱状節理とよばれる割れ目を生じる．節理は冷却面に垂直に中心の高温部に向かって発達し，柱の断面はおおむね六角形をしている．中心部は上下から進行してきた柱状節理がぶつかって複雑な形状の割れ目が見られることが多く，この部分をエンタブラチャとよぶことがある．

　規則正しく発達した柱状節理は，各地の過去の溶岩流の断面で見られることが多く，観光スポットとしても有名な場所が多い．中でも兵庫県の玄武洞は玄武岩の名称の由来となった場所であるが，見事な柱状節理が見られることで有名である．もっとも，柱状節理は溶岩流だけではなく，分厚く堆積した火砕流堆積物でも発達することも多く，九州の高千穂峡や北海道の定山渓などが有名である．

マグマの破片：テフラ

　爆発的な火山噴火によって放出されるテフラは，通常そのサイズによって区分される．直径 2 mm 以下のテフラを火山灰とよび，2〜64 mm の範囲を火山レキ，64 mm 以上を火山岩塊とよぶ．火山岩塊のサイズには上限はなく，ときとして 10 m 以上の岩塊が放出されることもある．火山灰はさらに細粒火山灰あるいはシルトと粗粒火山灰あるいは火山砂とに区分されることもあり，シルトと火山砂の境目は 1/16 mm（0.0625 mm）である．シルト以下のサイズの火山灰は軽いため，凝集しない限り単独では大気の乱れの中で落下できず，長く大気中を漂うことになる．

図2 火山噴出物．(a) 軽石とスコリア，(b) 火山弾．富士山1707年噴火の噴出物

テフラはそのサイズによらず，形態などから別の名称でよばれることもある．火口から放出された際に溶融状態にあったもののうち，内部が溶融状態で地上に衝突し，扁平な形になったものをかつては溶岩餅（driblet）とよんだが，最近ではスパッターとよばれることが多い．

溶融状態にあったマグマが空中を飛行中に固化すると，自由空間で固結することになるので，球体や回転楕円体になり，ときには引きちぎられて紡錘形になったり，リボン状になる．表面に多くの凸凹があると牛糞状になる．このような特徴ある形状や内部構造をもつ噴出物は火山弾（図2b）とよばれる．空中を飛行するマグマの表面は大気によって急冷され，表皮ができるが，内部が流動性をもっている状態から冷却する際にはマグマ中の気体成分を放出して内側から膨れ上がるので，表皮にひび割れが生じてパン皮状となる．パン皮状火山弾は玄武岩マグマのように粘性の低いマグマよりも，安山岩やデイサイトマグマのようにやや粘性の高いマグ

マの場合に形成されることが多い．

　また，マグマ中の気体成分が噴出時に気泡となった状態で固結すると，空隙だらけのテフラがつくられ，見かけの重さはとても軽く，水に浮くものも多い．このように著しく発泡したテフラのうち色の薄いものを軽石あるいはパミスとよび，黒色のものをスコリアとよぶことが一般的である（図2a）．しかし，ハワイの火山の噴出物は基本的に玄武岩マグマで，噴火の際に白い軽石が放出されることはないことから，黒い軽石もパミスとよぶことが多い．

　粘性の低いマグマが放出される際に繊維状に引き伸ばされて固結したガラスができることがある．ハワイのキラウエアでよく観察されることから，ハワイの火山の神の名前にちなんで「ペレの毛」とよばれる．溶岩の凹部などに風に吹き寄せられてペレの毛が濃集していることが多い．また，これに伴って雨滴状のガラスが見られることも多いが，これは「ペレの涙」とよばれる．

火山の分布

　地震と火山ともに地球全体に一様に分布しているわけではない．日本列島は地震と火山とで陸地がわからないほどに塗りつぶされているのに，ヨーロッパやアメリカの主要部には地震も発生しないし，火山噴火も起こっていない（図3a）．

　もう一つの特徴的なことは地震が発生する場所と火山とは近接しているように見えることである．日本列島から北上して，カムチャッカ半島，アリューシャン列島，アラスカ半

(a)

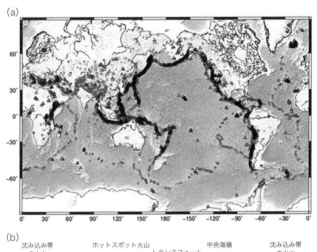

(b)

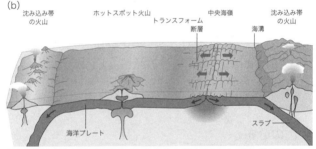

図3 (a) 火山と地震の分布（△は火山，○は震央）と（b）地球表層の
テクトニクス場

島，北米大陸の西海岸を経て，南米大陸の西海岸に至る太平
洋を取り巻く帯状の地域では，地震も火山も集中している．
あるいは伊豆諸島から南下して，小笠原・マリアナ諸島に至
る地域も同様である．これとは別に，東ティモールからジャ
ワ島，スマトラ島，インド洋のアンダマン島に至る帯状の地

域でも，地震と火山が集中している（図3a）．

　このような地震と火山の偏った分布は，地球の表面が10数枚のプレートで覆われ，お互いが独立に運動しているとするプレートテクトニクスの考えで理解できる（図3b）．

　プレート同士の境界には，プレートが生まれ，互いに離れていく境界（発散境界）とプレートがすれ違う境界とプレート同士が押しあう境界（収束境界）の3種類がある．多くの収束境界では，温度が低く，固くて密度の高い海洋プレートが，より密度が低い大陸プレートの下に沈み込み，日本列島のような沈み込み帯とよばれるテクトニクス場を形成する．ときには，伊豆・小笠原弧が存在するフィリピン海プレートのように比較的若い海洋プレートの下に，古い，冷たくて固い海洋プレートが沈み込む．一方，密度がほぼ等しい大陸プレート同士では，お互いが押し合って衝突帯とよばれるテクトニクス場を形成し，ヒマラヤ山脈のような盛り上がった地形ができあがる．

　地震と火山が集中しているように見える地域は，海洋プレートの沈み込みが起こっているプレートの収束境界であり，沈み込む海洋プレートと陸側のプレートの境界で，地震が起こるとともに，陸側には活発な火山活動も発生している．ここで噴出するマグマ量は世界全体の26％を占める．

　一方，ハワイのようにプレートの中にポツンとできた火山もあり，ホットスポット火山とよばれる．ホットスポット火山でのマグマ量は世界全体の12％である．

　海洋底で地震が起こっている場所は海嶺とよばれる海底の山脈で，野球ボールの縫い目のように線上に連なっている

（図 3a）ものの，ここには火山のマークはほとんどない．しかし，ここで噴出するマグマ量は地球全体の 62％に達する．

海嶺の火山

　この海洋底の中心域で地震が起こっている海嶺は，プレートの発散境界であり，水深 2000〜3000 m の深海底である．このような深海底で火山噴火が発生しても，海面には何の異常も観察されないし，たまたま海底に潜水艇などで潜っていた人以外は噴火を目撃することができない．このため，このような深海底の火山のほとんどには名前がついていない．上記の地図で火山として表示されていないのは，火山としての名前がないからである．

　しかし，このプレート発散境界は地球上で最も火山活動の活発な領域で，プレート誕生に伴ってマグマが海底に噴出する噴火活動も盛んに行われている．

　大西洋の中心部にも，大西洋の海底を切り開いたかのように海嶺が分布しており，大西洋中央海嶺とよばれる．この中央海嶺の延長上にアイスランドがある．この部分は本来ならばほかの海嶺と同様に深海底でひそかに噴火活動をしているはずの場所なのだが，たまたまプルームとよばれる地下深部からの高温の岩石の上昇流がある場所と重なっているために，通常の海嶺で生産されるよりもはるかに大量のマグマがつくられて，海面上の島にまで成長したのである．海嶺の火山と次に述べるホットスポット火山が重なった特殊な場所なのである．

ホットスポット火山

　地下深部の高温の岩石が上昇している，プルームとよばれる上昇流と地表とが交差する点につくられる火山はホットスポット火山とよばれる．ホットスポット火山をつくるプルームは地球上で数十点確認されているが，アイスランドのように海嶺と重なっているケースはまれで，多くは海嶺でもなく沈み込み帯でもない，プレート内に点状に火山をつくり，時折，地震も起こす．

　ホットスポット火山は，地球深部からのプルームがプレート（リソスフェア）の底付近で融解してマグマがつくられ，そのマグマがプレートを突き抜けて，表面に噴き出すために生じる．太平洋の真ん中にあるハワイや，インド洋にあるフランス海外県のレユニオン島がその典型例であり，ほとんど途絶えることなく噴火活動が続いている．

　このようなプルームの活動は長期間にわたって続く．たとえば，現在レユニオン島のマグマを供給しているプルームは6600万年間存在し続けていると考えられている．このようなプルームが存在する限り，マグマの生産が続くので，ホットスポット火山はとてつもなく巨大な火山となってもよいはずである．確かに海底から測ると，ハワイの火山もレユニオンの火山も1万m近い高さになることを考えると，日本の火山に比べて巨大ではあるが，何千万年分ものマグマの噴出で予想される大きさにはほど遠い．

　プレート自体が常にある速度で移動しているために，ホットスポット火山では1か所でマグマが出続けて巨大な火山がつくられることにはならないのである．むしろ，初期にでき

た火山はプレートの動きに乗ってプルームから遠ざかってしまうので，プレート上に点々と火山の列をつくることになる．したがって，点々とつながる火山のそれぞれの年代がわかれば，プレートの移動速度を測定することも可能なのである．

　実際に，現在，活発な噴火活動を続けるハワイ島のキラウエア火山の北西方向に連なるオアフ島やモロカイ島などの活動年代を求めると，ハワイ島からの距離に応じて北西方向に行くほど古くなり，その直線関係から太平洋プレートが年間 10 cm の速度でハワイのプルームの上を通過したことがわかった．もし，今後太平洋プレートの移動方向と速度が変わらなければ，5000 万年後にはハワイ諸島は日本近海にやってくることになる．

沈み込み帯の火山

　世界地図のスケールで見ると，沈み込み帯で地震が起こる場所と火山噴火が起こる場所が重なっているように見える（図 3a）が，じつはそうではない．日本列島を例に拡大してみてみよう．

　図 4a は東北日本で起こる地震の分布を示している．東北地方の地下断面で見ると陸部分の直下 10 km より浅い部分で発生している地震は，内陸地震とよばれるものであるが，日本海溝から斜め下に向かって分布している地震が東北日本を含む陸のプレートと沈み込む太平洋プレートとの境界付近で起こる地震である．このようなプレート境界で発生する地震のうち，比較的浅いところで発生している地震のほとんど

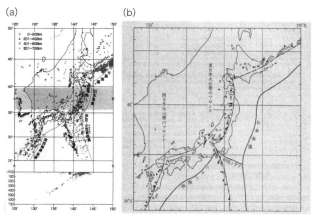

(a)　　　　　　　　(b)

図4　日本列島の地震と火山分布．(a) 地震分布，(b) 火山分布と火山フロント

は日本海溝と日本列島の間の海域の下で発生していることがわかる．一方，火山は陸上に存在している（図4b）．沈み込み帯で地震が多発する領域と火山の分布域とは一致していない．

　北海道から東北地方を経て，伊豆・小笠原にかけての火山の平面分布を見ると，ある規則性がわかる．火山の分布は，太平洋プレートが沈み込んでいる場所である千島海溝，日本海溝，伊豆・小笠原海溝とほぼ平行であるが，火山分布の東の端と，海溝との間にはギャップがある．このような火山の分布の東端（北海道では南端になる）の位置を火山フロント（火山前線）とよぶ（図4b）．これより海溝側には火山は存在しない．

　火山フロントでは大量の噴出物を噴出するため大型の火山

が分布することが多く，フロントから離れた火山には比較的小型のものが多い．このようなフロントから遠ざかった火山を背弧の火山とよぶことがある．火山フロントは日本列島だけでなく，世界中の沈み込み帯の火山の分布に共通して見られるものであり，地震の分布と火山との関係は，沈み込み帯でのマグマ発生と関係しているので，後に詳しく述べることにする．

第2章

火山噴火

　火山噴火とは火口からマグマあるいは岩石片が放出されることをいう．水蒸気を含む火山ガスだけが放出される場合は噴火とはよばない．たとえば，箱根山の大涌谷では日常的に高温の水蒸気が噴出しているが，このように水蒸気だけを出している限り，いくら勢いが強くても噴火とはよばない．

　大涌谷では1930年代から地中にボーリングを行い，埋め込んだ金属パイプを通して人工的に取り出した高温の水蒸気に水を加えて温泉水をつくり，一部の温泉旅館に温泉水を配給している．この水蒸気が大涌谷から勢いよく立ち上る様子が観光の大きな目玉となっている．

　2015年6月に箱根山の大涌谷で噴火が発生したと報じられたのは，地下での蒸気の圧力が高まり，人工のパイプ以外の場所でも地表近くの土砂を100トンほど吹き飛ばして，新たに火口をつくったからである．100トンの土砂というと，

いかにも大量なように思われるかもしれないが，噴火の規模としては極端に小さい．桜島火山で日常的に発生している噴火でも，1回に1万〜数万トン程度の噴出物を放出していることを思うと，いかに小規模な噴火であったかがわかるであろう．しかし，規模は小さくとも地面から土砂を噴出して火口をつくったので「噴火」とよぶのである．

ところで，これまでも明確に定義することなく噴煙という用語を使ってきた．通常，噴煙とは火口から立ち上る煙のことをいう．火山灰や水蒸気を含む火山ガスからなる煙である．噴火中の噴煙は火山灰などの固形物を含み，薄い灰色から濃い灰色を呈することから有色噴煙ともよぶ．火口からは，ときには白色のものが噴出を続けることもある．これは白色噴煙ともよばれ，水蒸気を含む火山ガスと水蒸気が露点に達して雲粒になったものからなり，火山灰などの固形物は含まない．この白色噴煙と噴気（fumarolic）との違いがどこにあるのかについての説明は少々悩ましい．火口から立ち上る白色の煙は噴煙あるいは白色噴煙とよび，火口以外の地面の割れ目などから立ち上る雲粒を含む水蒸気を噴気とよぶのが適当であろう．

さて，火山噴火とは火口からマグマあるいは岩石片が放出されることだと定義したが，火山噴火は非爆発的噴火と爆発的噴火とに大別できる．非爆発的噴火は溢流型噴火とよばれることもある．

非爆発的噴火（溢流型噴火）

　爆発的でない噴火の典型は火口から溶岩流を流出する噴火である．粘性が高いために火口周辺に溶岩が盛り上がった溶岩ドームもこの中に含まれる．

　通常の溶岩流が比較的ゆるやかな斜面を流れる場合，水平方向にも広がりつつ流下して冷却が進むため，あまり遠方にまで届きにくい．しかし，溶岩流の側面が固化することによって，溶岩堤防とよばれる自然堤防ができて流路が固定されると，中心部はあまり冷却されないまま比較的速い流速で遠くまで流れることができる．溶岩堤防がさらに発達すると天井部ができあがり，溶岩トンネルがつくられることもある．また，溶岩流の表面が固結しても，内部の流動部分が先端部から抜け出すと，溶岩流の内部にトンネル状の空洞ができる．このような空洞も溶岩トンネルとよぶ．規模の小さいものは溶岩チューブともよぶ．

　溶岩トンネルや溶岩チューブをつくる固結したマグマでできた壁には断熱効果があるため，トンネルやチューブに流入した後続のマグマは冷えにくく，流動性を保つことになる．後続のマグマがこのトンネルを利用することにより，さらに遠方にまで到達できる．

　溶岩流が森林地帯を流れるとき，溶岩流が樹木と接触した部分が冷えて固まり，溶岩流全体が停止固結した後に，樹木の外形を保存した穴が残ることがある．この穴には，炭化した樹木が一部に残ることもある．このような溶岩中の穴を溶岩樹形とよぶ．

倒れた巨木が溶岩に飲み込まれ，炭化した跡が溶岩中の空洞として残ることがあるが，これも溶岩樹形の一種である．富士山のさまざまな時代の溶岩の中にもこのような溶岩樹形が多く存在し，お胎内とよばれ，信仰や観光の対象となっている．

　溶岩流の粘性が低い場合，樹木の周辺に筒状の溶岩のみを残し，溶岩流の主体は下流域に流下してしまうことがある．この場合は，溶岩でできた円筒状の，煙突のような溶岩樹形が林立した森のような光景が後に取り残される．

爆発的噴火

　火山学では，爆発的噴火とはテフラ（火砕物）が放出される噴火をさす．したがって，桜島や阿蘇山などで時折見られる「灰噴火」ともよばれる，大きな爆発音を伴わないまま火山灰を連続的に放出する噴火も爆発的噴火に区分される．

　ところが，日本の気象庁には独自の基準があり，火口から一定程度離れた観測点での空振，すなわち噴火によって生じた空気の振動の大きさがある基準を超えた場合にはじめて，爆発あるいは爆発的噴火とよぶ．火山灰を連続的に噴出する灰噴火が生じる場合は大きな空気振動を伴わないので爆発的噴火とはよばず，単なる「噴火」とよぶのである．

　なお，桜島の噴火で噴煙高度が 1000 m よりも低い場合は，鹿児島地方気象台では噴火としては記録しない．このためマスコミ等で年間噴火数が何百回に達したとか報道されることがあるが，気象庁発表に基づいているので，実際の噴火

回数よりも少ないので注意が必要である.

　本書では火山学界で通常用いられる爆発的噴火の定義に従うことにする.

　爆発的噴火に伴うテフラは水蒸気噴火のように既存の岩石が破壊されてつくられる場合と，マグマが引きちぎられ，空中に放り出された際に急冷されて岩石片となる場合がある.

　爆発的噴火は爆発する主体が何であるかによって，水蒸気噴火，マグマ水蒸気噴火，マグマ噴火に区分される（図5）.

水蒸気噴火

　水蒸気噴火は，水蒸気爆発によって破砕された岩石片が放出される噴火である.水蒸気爆発は，地下で圧力がかかっているために水蒸気になれず，数百度の高温のまま液体として存在していた「熱水」が不安定になり，水蒸気に変化して一挙に体積を膨らまそうとして生じる爆発である.不安定になるのは周囲の圧力が減少するか温度がわずかに上昇する場合であるらしい.大気圧の下で100℃のお湯が100℃の水蒸気に変化する際の体積変化が1700倍であることからわかるように，数百℃の熱水が水蒸気に変化する際には数千倍に体積を膨らませようとするので爆発に至るのである.

　水蒸気噴火というと水蒸気だけを噴出すると誤解されるので，このような噴火のことは水蒸気爆発とよぶべきとの主張もある.しかし「噴火」には定義としてマグマもしくは固形物を噴出するということが含まれており，水蒸気噴火といっても水蒸気だけを噴出することにはならない.

　水蒸気噴火のもととなる熱水は降雨などが地面にしみ込ん

水蒸気噴火　　マグマ水蒸気噴火　　爆発的マグマ噴火

図5　爆発的噴火のタイプ

でできた地下水が，直接あるいは間接的にマグマによって加熱されることによってつくられるが，加熱のあり方は大きく二通りに区分できる．

一つはもともとマグマに含まれていた気体成分がマグマから分離し，浅い場所に上昇してきて，地下水と混じり合い，熱水をつくる場合である．マグマから分離した気体成分は高温でしかも高圧下にあるので，液体でも気体でもない超臨界流体とよばれる状態にある．密度は液体の水に近く，粘性は水蒸気に近い性質をもつので，マグマから分離した後では，周りの岩石よりははるかに密度が低く，浅所に向かって容易に移動することができる．この超臨界流体は移動の途中で多

少冷えたとしてもかなりの高温状態で地表近くに到達する．この流体が地下水と混ざり合うことによって，地下水を数百度の温度まで上昇させ熱水をつくることができる．

　もう一つは，マグマが地下水のある浅所まで上昇してきて，マグマ周辺の岩石が温まり，その熱の伝達で地下水が加熱される場合である．この場合には，水蒸気噴火から噴火がはじまるものの，やがてマグマ噴火に移行することも多い．

　登山者に多くの犠牲者を出した御嶽山の 2014 年 9 月 26 日の噴火は，準安定的に噴気として少しずつ水蒸気を漏れ出していた地下の熱水だまりが急に不安定になって，熱水が一挙に水蒸気になろうとして引き起こされたものである．熱水だまりが不安定になった理由は，深部のマグマから供給されていた超臨界流体の量が増えて熱水だまりの温度が上昇したか，微小な地震の発生など何らかの理由で熱水だまりの周囲の岩石にひび割れが生じ，熱水だまりの圧力が少し下がったことなどが考えられるが，正確な原因はわかっていない．

マグマ水蒸気噴火

　マグマが上昇して地下浅部の地下水と直接接触したり，浅い海底や湖底などに噴出してマグマが海水や湖水などの外来水と接触すると，水が一挙に高温の水蒸気に変化するため，体積の急膨張が起こり，爆発を起こすことがある．この際，マグマや周辺の岩石などを破砕して激しい噴火となることが多い．このような噴火をマグマ水蒸気噴火とよぶ．典型的なマグマ水蒸気噴火が 1963 年にアイスランド南西海域で発生し，1967 年まで噴火が継続してスルツェイとよばれる海洋

島がつくられたことにちなんで，スルツェイ式噴火とよばれることもある．2013年に小笠原の西之島が誕生した際の初期噴火や2021年の福徳岡ノ場噴火，2022年のフンガ・トンガ＝フンガ・ハアパイ噴火の初期にも目撃された．

　海底にマグマが噴出する場合でも，深海底のように水深が深いと高い水圧のために，噴出したマグマで海水が加熱されても水蒸気になれないために爆発を起こさない．各地の噴火事例からすると，水深が300 mを超えるとマグマ水蒸気噴火は生じないようである．

　マグマと水が接触する場合はいつでも爆発が起こるかというとそうではない．たとえば，ハワイでは流れ出した溶岩流が海岸に達し，融解状態のまま海水中に流入することがあるが，大抵の場合爆発を起こさない．マグマと水との境界が重要で，なだらかな境界の場合には瞬時に水蒸気の膜がマグマの周辺につくられ，この水蒸気の膜がマグマからの熱を遮断する効率の良い断熱材の働きをするため，それ以上に周辺の海水が加熱されることがなく，爆発も起こらないのである．これはマグマの海中への単位時間当たりの流入量が10 m^{3}程度と低い場合に限られる．

　マグマと水との境界が複雑な場合はマグマ中に水が取り込まれたりして，小爆発を起こし，マグマの周囲につくられた水蒸気膜を破壊して，さらに海水を加熱するという現象が加速的に起こり，激しい爆発に至ることがある．

　以下に述べるように，通常のマグマ噴火ではシリカに富み粘性が高いマグマの方が，より粘性の低い玄武岩マグマなどに比べて爆発的になり易い傾向があるが，マグマ水蒸気噴火

の場合はマグマの組成によらず爆発的で，玄武岩マグマでも非常に爆発的な噴火になることがある．

爆発的マグマ噴火

　マグマが外来の水と接触しない場合でも，マグマそのものが破裂して生じる爆発的噴火もある．この爆発の原因はマグマ中の気体成分，おもに最も多く含まれる水である．通常，マグマに水や炭酸ガスなどの気体成分が含まれているが，マグマが上昇する過程で，マグマからこれらの気体成分が十分に抜けきらなかった場合に起こる．

　爆発的噴火では上空まで達した噴煙が水平方向に広がりながら，風に流されて風下に向かって移動しながらテフラ（火砕物）を地表に堆積する．通常の桜島の噴火のような場合，立ち上る噴煙はせいぜい数分程度で火口から途切れてしまうが，プリニー式噴火とよばれる規模の大きな噴火の場合，火口から立ち上る噴煙が数時間以上，定常的に続く．このような噴煙はとくに噴煙柱とよばれる．噴火の規模が大きくなると噴出物量が多く，また噴煙に取り込まれ，噴煙中の噴出物によって温められた空気も高温になるため噴煙柱は浮力を得て高くまで上がることになり，広がった噴煙から地表に堆積する火砕物量も広い領域に分布するとともに量も多くなる．また，噴火の激しさが強くなると，噴煙の高さも高くなり，火砕物も細かく砕かれたものの割合が多くなる．爆発的なマグマ噴火の噴煙の高さと噴火の激しさとの関係は図6のように表される．

　以下に爆発的マグマ噴火のおもな様式とその特徴を述べ

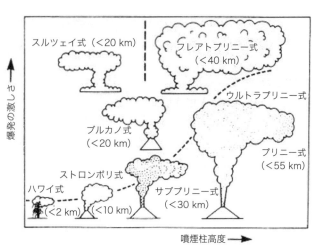

図6　噴火の激しさと噴煙高さ

る．

プリニー式噴火　火山噴火の名称は通常，特徴的な噴火をする火山の名前に基づいて区分されるが，最も激しい爆発的マグマ噴火であるプリニー式噴火は，よく使われる噴火の様式名としては唯一，人名にちなんだものである．

　火山噴火の古代の記述の中で学術的にも有意義なものは，紀元79年のイタリア南部のヴェスヴィオ山の噴火の際のものであるが，この記述を行った小プリニウス（ガイウス・プリニウス・カエキリウス・セクンドゥス）にちなんで，この種の噴火はプリニウス式あるいはプリニー式噴火とよばれるようになった．彼の伯父で，噴火の最中にヴェスヴィオ山西麓のエルコラーノや南麓のポンペイの避難民救援に向かう途

中に急死した，ローマ帝国の提督でかつ著名な博物学者でもあったガイウス・プリニウス・セクンドゥス（大プリニウス）に因んだという説もあるが，火山学の世界では殉職者に対する諡として噴火様式に名前を付けるという習慣がないので，学術的にも優れた記述を残した小プリニウスにちなんでいるという説を取りたい．ちなみにブリタニカは大プリニウス説を採用しているが，IAVCEI（国際火山学および地球内部化学協会）による『火山の百科事典』は小プリニウス説を採用している．

　プリニー式噴火は多くの場合マグマ中の水分の発泡が引き金となることから，噴出物としては気泡に富む軽石からなることが多い．このように軽石を主体としたプリニー式噴火は軽石噴火とよばれることもある．

　プリニー式噴火では，噴煙柱は数十 km 以上の成層圏にまで達するが，火口から立ち上る噴煙のうち，火口からジェットのように激しく噴き上げている部分は数百 m〜1 km 程度の高さの部分にすぎない．高温の噴煙に巻き込まれた周囲の空気が噴煙中のテフラによって暖められ，膨張し軽くなって上空にモクモクと立ち上るのである．プリニー式噴火の噴煙は，上昇に伴って広がることから温度も低下する．成層圏に到達して周囲の大気の密度と噴煙の密度が釣り合った位置が噴煙の高さの上限になるはずだが，この地点に達しても噴煙の上昇速度がゼロではないのでしばらく上昇を続け，その後，密度の釣り合いの位置まで落下する．これによって傘型の噴煙がつくられる．噴き出したテフラが高温であり，また大量であるほど，取り込まれた空気の温度も高くなるので，

その分浮力を獲得して上空にまで到達できることになる。噴煙の上昇速度は火砕物の量や温度によってさまざまであるが，1980年のアメリカ，ワシントン州のセントヘレンズ火山の噴火の場合，13分で25 kmの高さに達し，噴煙柱は9時間維持された。

　日本の上空の成層圏付近には強い西風が吹いているために，プリニー式噴火の噴煙は西風に流され，東方に広がりながら，火山レキ，火山灰を降下させることになる。粗粒のものほど火口近くで落下するため，降下物は火口から遠ざかるにつれて，次第に細粒になり，堆積した火山灰の厚さも薄くなる。プリニー式噴火の中でも，噴火の激しさと規模がより大きいものはウルトラプリニー式噴火，比較的小さいものはサブプリニー式噴火あるいは準プリニー式噴火とよばれる。

ブルカノ式噴火　マグマが火道の浅い位置まで上昇してきたとき，マグマから分離した火山ガスが火道の上部に溜まり，圧力が高まると，上部にある岩石の蓋を吹き飛ばして爆発的な噴火を引き起こす。溜まったガスが放出されると爆発力を失うことから，通常，爆発は短時間である。爆発の瞬間，大きな音を発生することも多い。このような噴火はブルカノ式噴火とよばれる。

　爆発とともに火口から上空に噴煙が立ち上がり，この噴煙からテフラが降下・堆積する。火口から定常的な噴煙の噴出が長く続くことはなく，せいぜい数分〜10分程度で途切れてしまい，噴出した噴煙は風に流されて雲散する。ブルカノ式噴火では爆発に伴い，弾道を描いて飛散する火山岩塊など

を放出し，数km程度まで達することが多い．火山灰はマグマが急冷してガラス質になった粒子のほかに，地表や火道にあった固結した溶岩片などを含む．ときには火口から比較的規模の小さい火砕流が発生することも珍しくない．桜島で1955年以来発生し，年間数百〜千回に及ぶ爆発的噴火はブルカノ式噴火の典型である．

ストロンボリ式噴火　間欠的にマグマのしぶきを噴き上げる噴火で，しぶきは放物線を描いて周囲に着地するため，ストロンボリ式噴火が何回も繰り返されると，火口の周囲にすり鉢をふせたようなスコリア丘，火砕丘などとよばれる小丘がつくられる．火砕丘の斜面の傾斜は一定で，裾を引かない．このような噴火がイタリアのエオリア諸島のストロンボリ島の火山で繰り返し発生していたことから名づけられた．
　ストロンボリ式噴火でのマグマのしぶきをあげる継続時間は短く，ほとんどが5分よりも短い．この点が次に述べるハワイ式噴火の溶岩噴泉とは異なる．

ハワイ式噴火　粘性の低いマグマが連続的に噴き上がると，溶岩噴泉とよばれる噴火となる．溶岩噴泉はストロンボリ式噴火に比べ，マグマのしぶきが噴き上がっている時間が長い．ストロンボリ式噴火は主に数分程度だが，溶岩噴泉の場合は10分以上マグマのしぶきを噴き上げ，1日以上継続することもある．割れ目火口から溶岩噴泉が噴き上がると，数十m程度の高さのマグマのカーテンができるが，ときには数百mに達することもある．噴き上がったマグマのしぶき

（スパッター）は割れ目火口の周囲に降り積もってスパッターランパートとよばれる割れ目火口に平行に分布するかまぼこ型の地形をつくることも多い．ただし，連続的なカーテンは長続きせず，少しずつ離れてはいるものの，線上に並んだ複数の地点からしぶきを噴き上げるようになり，最終的にはスコリア丘が線上に点々と配列するようになることも多い．このような噴火は主に粘性が低い玄武岩マグマが活動するハワイでよく見られることから，ハワイ式噴火とよばれる．

　一旦噴き上げられたマグマが次々に着地して，温度が下がらずそのまま溶岩流として流れ出すことも多い．また，このような割れ目火口からマグマが直接流出して溶岩流となったり，スコリアやスパッターが降り積もってできたスコリア丘の一部を破って流出することもある．このためハワイ式噴火は爆発的噴火として区分せず，非爆発的噴火に含めることがある．

爆発的噴火の規模と激しさの表し方

　爆発的火山噴火の規模と激しさを表現する方法としてよく使われるのが火山爆発指数（VEI：Volcanic Explosivity Index）である（図7）．指数は0〜8までの9段階に区分され，0は非爆発的噴火とされる．指数が2以上の場合はテフラ体積が10倍ずつ増加するが，噴煙の高さも指数の上昇とともに高くなる．これは，多量の噴出物を放出する噴火では総熱エネルギー量も多くなるため，噴煙の上昇に伴って取り込んだ大気の温度も高温になり，上空にまで噴煙が上昇でき

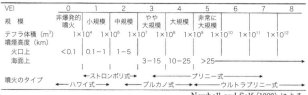

VEI	0	1	2	3	4	5	6	7	8
規　模	非爆発的噴火	小規模	中規模	やや大規模	大規模	非常に大規模			
テフラ体積 (m³)	$1×10^4$	$1×10^6$	$1×10^7$	$1×10^8$	$1×10^9$	$1×10^{10}$	$1×10^{11}$	$1×10^{12}$	

噴煙高度 (km)
火口上　<0.1　0.1−1　1−5
海面上　　　　　　　　3−15　10−25　>25

噴火のタイプ　←ストロンボリ式→　←プリニー式→
←ハワイ式→　←ブルカノ式→　←ウルトラプリニー式→

Newhall and Self (1982) による.

図7　火山爆発指数 (VEI)

ることに対応している.

　このような噴火規模と噴煙高度との関係はおもに陸上火山での経験に基づいているため,海域での噴火については注意が必要である.マグマの熱で水蒸気化した海水は非常に軽く,噴煙とともに上昇した結果,噴煙を通常よりも高くまでもち上げることになる.このため,海域での噴火では,噴煙高度に基づいて評価すると噴火規模を過大評価することも多い.

　ところで,火山爆発指数で使われるテフラ体積は見かけ体積である.火山噴出物の見かけ体積は堆積物の見かけ密度によって大きく変化するため,比較火山学的検討では噴出したマグマ体積に相当する溶岩相当体積 (DRE : Dense Rock Equivalent) に換算して議論することが多い.このため,火山爆発指数を求める際に,勘違いして溶岩相当体積をあてはめることがあるので注意が必要である.

　火山爆発指数5までは,噴火の規模の名称が確定しているが,6以上では名称が確定していない.このため,火山爆発指数7以上の噴火を,あるときには超巨大噴火とよんだり,破局噴火とよんだり,さまざまである.英語では Super

Eruption とよぼうという提案もあるが，日本名は定着していない．

　この火山爆発指数はテフラ量や噴煙の高さに基づいて求められるため，溶岩流流出のような非爆発的噴火の場合には，いかに大量のマグマを出しても火山爆発指数は0になってしまう．そこで，噴火に際して噴出したマグマ量に基づいて，噴火規模を区分けした方がよいという考えから，噴火マグニチュードが提唱された．これは爆発的噴火の場合もテフラ体積ではなく，テフラに砕ける前のマグマ状態にあったときの重量に換算して求めるものであるが，これまで多くの場合に使われてきた火山爆発指数と矛盾しないように係数が定められている．

　火山爆発指数は，目安として噴出物量や噴煙高度の数値幅が与えられているものの，定性的な指数であるのに対し，噴火マグニチュードの場合は小数点以下まで表現できるために，噴火の規模を細かく比較するのに適切であると評価されることもある．しかし，じつはこの点に問題がある．

　爆発的噴火の噴出物量を正確に測定することは非常に困難で，とくに細粒の火山灰などは上空の風によって遠方まで運ばれ，またごく細粒の火山灰は成層圏に長く滞留・拡散した後に堆積するために，その量の推定は大きな誤差を含む．そして，火口周辺にはうず高く噴出物などが積もるが，噴火活動の最中にはこれを測定することは困難である．地質調査によって体積を求め，堆積物の密度から重量に換算して求めることになる過去の噴出物の場合には侵食によって失われる部分が無視できないし，比較的少数の露頭での計測に基づい

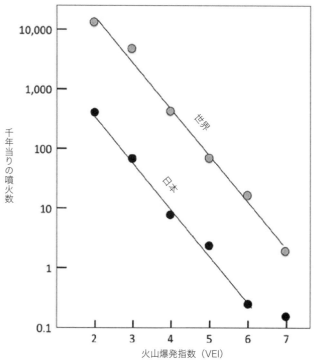

図 8　噴火の規模（火山爆発指数）と頻度

て，堆積した噴出物量を求めざるを得ない．このため，噴出
物量の測定精度はせいぜい倍半分といわれる程度であり，こ
れは噴火マグニチュードでは有効数字一桁の精度しかないこ
とに相当する．つまり，計算上は小数点以下まで求められる
が，小数点以下で比較することは無意味なのである．このこ
ともあって，噴火マグニチュードは火山爆発指数に比べてあ

まり使用されない．むしろ，火山爆発指数と同じように，有効数字一桁の指数として表現すれば，非爆発的噴火も爆発的噴火も共通の指数として噴火規模を表すことができることになるので有益であろう．噴火マグニチュードはすでに定義されているので，その整数部分のみを新たな指数，たとえば「火山噴火スケール」とよんで使う方がよい．

　ところで，過去の噴火の発生頻度を火山爆発指数あるいは火山噴火スケールで並べると，当然のことながら，噴火規模が小さいほど発生頻度が高く，噴火規模が大きいほど発生頻度が低くなる（図8）．噴火の発生頻度を対数で表現すると，火山爆発指数との関係はほぼ右肩下がりの直線状にプロットされ，この関係は頻度こそ違うが，世界全体でも日本だけで見ても変わらない．これは，地震のマグニチュードと頻度の関係としてよく知られるグーテンベルグ・リヒターの式とよく似ている．

噴火の激しさを決めるもの

　爆発的マグマ噴火の激しさを決めるものは，マグマ中の気体成分である．マグマ中の気体成分量はマグマの生成過程によって異なる．一般にハワイなどのホットスポット火山の玄武岩マグマは，マグマ発生のもとであるマントルの岩石中に気体成分が少ないため，マグマ中の気体成分も多くなく，あまり爆発的なマグマ噴火を起こさない．海嶺で噴出する玄武岩マグマも非爆発的であるが，気体成分が少ないことに加えて，深海底で水圧が高いことが原因である．

ところが，わが国のような沈み込み帯でつくられるマグマは，後で述べるように，マントルでのマグマ生成の段階で水などの気体成分が大きな役割を果たしていることから，マグマに含まれる気体成分の量は多い．このため，沈み込み帯のマグマはもともと爆発的噴火を起こすポテンシャルをもっていることになる．

　しかも沈み込み帯のマグマは，マグマがつくられてから噴火に至るまでの過程で，さまざまなプロセスを経て，安山岩マグマやデイサイトマグマに変化する．このような比較的シリカに富むマグマは初生の玄武岩マグマに比べると気体成分に富み，またマグマとしての粘性も高いことから，マグマ上昇の過程で析出した気泡はマグマから分離しにくい．このため噴火時に，高圧の気体成分を含んだ気泡がマグマを破裂させ，爆発的な噴火を起こしやすい．

噴火に伴う現象

　噴火に伴って発生する現象はじつにさまざまであるが，大きく分けると空から降ってくるものと，地表をはうように流れるものに区分できる．

空から降ってくる現象：投出岩塊と降下テフラ

　火口から高速で放出され，大砲から打ち出された砲弾のように弾道を描いて飛行する岩石は投出岩塊あるいは放出岩塊とよぶ．投出岩塊の火口での初速は爆発力によりさまざまだが，秒速数百 m に達することも珍しくない．このような投

出岩塊のうち 10 cm 程度以下のものは空気抵抗の影響を受け，火口から 1 km 程度の距離に落下するが，数十 cm 以上のものは空気抵抗の影響が小さいため，同じ初速で投出されても数 km 程度飛散することもある．もちろん数 m 以上の巨大なものは火口周辺に限られる．

　上昇する噴煙に取り込まれて上空にもたらされるテフラは，シルト以下の細粒なものを除くと，上空で風に流されつつも比較的短時間に降下して地表に堆積する．上空からの降下物は重力によって加速されるが，同時に大気による抵抗力によって減速される．この結果，降下物は粒径，密度に応じた一定速度で地表に落下することになる．この速度を終端速度という．あまり発泡していない火山岩の場合，終端速度は直径 2 cm のもので秒速 5 m，時速にすると 20 km 程度であるから，自動車の窓ガラスなどにあたると破損することも多い．

　この終端速度の効果によって，ある噴火で噴煙から地表に降下・堆積する火山灰はある地点での同一時間では粒径がそろうことになり，このことを淘汰がよいと表現する．細粒なものほど終端速度が小さいので，同じ場所での火山灰堆積層は上位に向かって細粒に分級することがある．露頭スケールで見た場合，一回の噴火で堆積した火山灰層では，水平方向にはほとんど同じサイズの粒子が並び，垂直方向には粒子サイズが細かくなる層状の様子が見られることになる．非常に細粒の火山灰（シルト）は，しばらく降下することなく成層圏を漂い，火山周辺のみならず，地球の反対側でも航空機の運航を止めざるを得なくなることがある．しかし，細粒とは

いえ岩石片，ガラス片で密度が大気よりはるかに大きいため，多くの場合1週間程度で対流圏にまで落下してしまう．

　細粒の火山灰であっても，水蒸気噴火やマグマ水蒸気噴火のように，水分を含む状態で噴火が生じる際には，細粒火山灰の凝集が起こって，霰（あられ）のように大きくなるため，あまり遠くまで風で運ばれず，比較的火口近くに落下する場合もある．このような火山灰が凝集したものを火山豆石とよぶ．火山灰が凝集して火山豆石がつくられるのは，噴煙柱内部のほか，火砕流，火砕サージ，ブラストといった横殴りの噴煙内で，形成には水分の存在が必要で，水の供給源としては雲などの大気中の水分や湖水などの陸水，マグマ中に存在していた気体成分などさまざまな説がある．

地を這う流れ

溶岩流　非爆発的噴火での溶岩流の流れ方や形状はマグマの粘性によるところが大きい．粘性が低いマグマがゆるやかな斜面に流出した場合，薄く広がりつつ流れることが多い．

　火口からマグマの高い噴出率が継続すると，溶岩堤防が発達して流路が狭まったり，さらには溶岩トンネルができて，その内部を連続的流体（チャンネルフロー）として流れはじめると非常に高速になることがある．2018年5〜8月にかけてのハワイのキラウエア火山の東リフトでの噴火では，大部分の地表を流れる溶岩流は秒速1m以下であったのに，このようなチャンネルフローができた第8割れ目火口では，秒速10mで流下する場合もあった．

　流動性に富む溶岩が海中に流入したり，海中で噴出する

と，特異な形状の溶岩になることがある．水と接した溶岩の先端が水によって冷却し，パホイホイ溶岩と同じような袋状の薄皮ができる．薄皮の部分は水で急冷されガラス質になる．内部には未固結の高温のマグマがあり，給源からマグマが次々と供給されるため，ちょうど風船が膨らむようにある程度まで膨らむが，薄皮内部のマグマの圧力が上がって薄皮の強度を超えると，先端が破れて水中に溶岩が流出し，ふたたび薄皮ができて膨らむ．これが繰り返されると，袋が次々とつながった溶岩ができる．この袋は重力の作用でやや扁平となり，枕に形が似ていることから，枕状溶岩とよばれる．

　中央海嶺にはこのような枕状溶岩が積み重なる．枕状溶岩ができるのは，マグマ流出率があまり高くない場合で，短時間に大量のマグマが水中に流出する場合は，幅広い板状の溶岩となり，これはシート状溶岩とよばれる．

　ハワイでも溶岩流が海岸に達し，海中にマグマが流入する場合に，枕状溶岩を海中につくる様子が目撃されている．アア溶岩に相当する溶岩流が水中に流入すると，ガラスが破砕されて，角レキの集合物となったハイアロクラスタイトがつくられる．ハイアロクラスタイトや枕状溶岩が古い地層で確認されると，その溶岩が水中に流れ出したことを判定する良い材料になる．また，枕状の形状からその地層の上下判定に用いられることもある．

　マグマの粘性が高いと流動性が乏しく火口周辺に盛り上がって溶岩ドームをつくるがこれも溶岩流の一つとみなせる．

火砕流　火砕流とは高温の火山灰や岩塊などが大気を取り込

みながら流動化して，火山斜面を高速度で流下する現象をさすが，この発生機構にはさまざまなものがある．爆発的噴火に伴って発生した噴煙が高く上昇できず崩れ落ちて発生する場合もあれば，非爆発的噴火で形成された溶岩流や溶岩ドームが崩壊することによって発生する場合もある．発生のメカニズムはさておき，ほとんどの場合，高温で，高速の流れであることから，この現象に遭遇した場合の被害は甚大である．森林や住居は破壊され炎上し，生物体はほぼ瞬時に命を失う．

①溶岩流の崩壊によって発生する火砕流　粘性の高いマグマで，噴火以前に気体成分の多くを失った場合，マグマの流動性が乏しくなり，火口付近に盛り上がって溶岩ドームをつくることになる．このドームが山頂付近の急峻な斜面近くにつくられる場合，ドームの成長につれて周縁部が不安定になって，崩落することが多い．あるいは，やや粘性が低いマグマでも，山体の急斜面をゆっくりと流下する途中で崩壊することもある．

　このような崩落によって溶岩が粉砕され，多量の火山灰と溶岩片とが取り込んだ大気と一体となって斜面を駆け下ると火砕流となる．通常は噴出したばかりの高温の溶岩が破砕されて発生するため，火砕流そのものは高温である．

　1991 年 5 月下旬から，雲仙普賢岳ではこのメカニズムによる火砕流が頻発し，同 6 月 3 日には 43 人の犠牲者を出したため，火砕流という言葉が一気に日本中で知られる結果となった．この種の火砕流はカリブ海にあるマルチニーク島プレー火山の 1902 年噴火の際に多発し，フランスの火山学者

がヌエ・アルダン（nuée ardante）とよんだが，英語では glowing cloud と訳されたことから日本語で「熱雲」とよぶことがある．しかし，本来ならば「高熱なだれ」とよぶ方がその脅威が正しく理解されるであろう．

　流下の最中に周囲の大気を取り込むことによって火砕流内部の流動化が進み，時速 100 km 程度で斜面を駆け下る．火砕流本体の流走距離は崩落高度にもよるが通常数 km 程度で，10 km を超えることは多くない．雲仙普賢岳の溶岩ドーム崩壊によって発生した火砕流も 5 km 程度にとどまった．岩塊などを含む火砕流の周辺部には，火砕流内部の流動化によって比較的低濃度の細粒物質からなる火砕サージが生成され，本体と一体となって流下する．本体停止後も慣性で 1 km 程度流走することも珍しくない．火砕サージそのものは本体と異なり密度の低い流れなので，停止した後に残される堆積物の厚さは非常に薄い．

　このようにして発生する火砕流を溶岩流崩壊型火砕流とよぶことがある．また，このような火砕流がインドネシアのメラピ火山で数年ごとに多数発生することから，メラピ型火砕流とよばれることもある．

　粘性が比較的低いマグマの噴火であっても，傾斜が急な斜面に火口がつくられた場合，火砕物が降り積もってできた火砕丘が不安定になって，崩壊し，火砕流が発生することがある．噴出物のほとんどを玄武岩マグマが占める富士山で過去に発生した火砕流の多くはこのタイプのものだとみなされている．

②噴煙柱の崩壊による火砕流　　上に述べた溶岩流崩壊型の火

砕流のほかに，爆発的噴火によっていったん火山上空に噴き
上げられた噴煙の一部がその重みのために崩壊して，火山体
斜面に落ち，そのまま火砕流となって斜面を駆け下る場合も
ある．このような火砕流は噴煙柱崩壊型とよばれる．火口よ
りも高い位置から崩落するため，山頂火口からの噴火で発生
した場合，火山の全方位に同時流走する可能性がある．また
山頂よりも高い位置から落下するため，大きな重力ポテンシ
ャルをもち，溶岩流崩壊型の火砕流に比べて遠方まで届きや
すい．数十 km 程度流走することも珍しくない．

　噴煙柱の崩壊は，プリニー式噴火などの最中に，火口が拡
大し火口壁の岩石片など比較的密度が大きく，また温度もあ
まり高くない岩片を巻き込んだ噴煙の場合に起こりやすい
が，発泡した軽石片を主体とする場合があり，このようなも
のは軽石流ともよばれる．

　噴煙柱崩壊型の火砕流の発生は爆発的マグマ噴火に限らな
い．水蒸気噴火やマグマ水蒸気噴火で噴出した噴煙が，いっ
たん上昇するものの，一部の重い部分が上昇できずに崩れ落
ち，火砕流を発生することがある．これも噴煙柱崩壊型の火
砕流の一つのパターンではあるが，マグマ物質を含まないこ
とからもともと数百℃以下の低温であり，このタイプの火砕
流では樹木などの炎上や炭化は起こらないことも多い．

　御嶽山 2014 年噴火では，このタイプの火砕流が一部山頂
の登山者を襲ったが，犠牲者の中で気道損傷を受けた方が 1
名であったこと，生存者が噴煙に包まれて真っ暗になった際
に生暖かかったと証言していることなどを考えると，温度とし
ては数十℃程度であったようである．三宅島 2000 年噴火で

も麓まで到達し，全島避難のきっかけとなった火砕流も数十℃程度であった．このような火砕流は低温火砕流とよばれることもある．

融雪型火山泥流　積雪期や氷河をもつ火山で爆発的な噴火が発生し，それに伴って火砕流が発生したような場合，短時間に積雪や氷河が噴出物の熱で溶かされ，山頂近くに大量の水が発生することになる．このような水が火山の斜面を流れ下る際に，火山灰などを巻き込んで泥流（土石流）となり，火口から何十 km も遠く離れたところまで到達することがある．多くの場合，山体の地盤そのものや森林などもこの泥流で侵食され，一緒に流下する．必ずしも高温の火砕物である火砕流でなくとも，多量の高温の熱水が噴火と同時に噴出すれば，同様の現象が起こることもある．わが国では 1926 年の十勝岳で発生した融雪型火山泥流がよく知られている．

　溶岩流の場合は雪氷に対する熱伝達効率が悪いため，融雪型火山泥流が発生してもごく小規模なことが多い．

規則的ではない火山噴火

　いまでも時折，週刊誌などで富士山が XX 年 XX 月に噴火するとかいった話題が取り上げられることがある．果たして，特定の火山の数年先や数十年先の噴火の時期を予測することが可能だろうか．

　古記録の詳細な検討によって，歴史時代の噴火履歴が明らかになっている富士山の場合を見てみよう．富士山の最初の

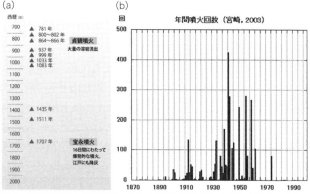

図9　規則的でない火山噴火．（a）古記録で確認された富士山噴火，（b）20世紀の浅間山の噴火

噴火記録は『続日本紀』にある781年の降灰記録である．古記録の中にはあいまいな記憶に基づいて後年記述されたり，聞き書きであったりして，記述そのものが信頼できないものもある．したがって，古記録の信頼度がまず確かめられる必要がある．富士山では，古記録の精査によって781年噴火以降1707年の宝永噴火までに10回の噴火が確認されている．

　しかし，噴火は規則的に起こっているわけではない（図9a）．飛鳥時代から奈良・平安時代にかけては数十年間隔で噴火していたのに，12世紀以降は百〜数百年の静穏期を挟んでいる．中世の約300年間の空白については，本当に噴火がなかったのかどうかは確かではない．この時期は日本の統治が一元化されず，戦乱の時代にあったために，信頼できる歴史書が限られ，また民間の記述も乏しいからである．この時期の空白を無視したとしても，千年単位で見ると，数百年

程度の活発な時期や不活発な時期が不規則に繰り返しており，このような傾向は富士山に限らず，多くの火山でも認められる.

　また，活発な活動を行っている火山でも，100年ほどの単位で見ると活動が不規則な場合もある．浅間山の明治時代以降の噴火回数の変化を見ると，1950年代には1年間に数百回の噴火を行っていた．1日に何回も噴火することがある現在の桜島のような火山だったのである．ところが1973年以降，10年に1回噴火するかどうかの火山に変わってしまっている（図9b）．また最近では2004年噴火だけでなく，2009年，2019年にも噴火があったが，ごく小規模であったこともあり，浅間山は噴火しない火山と思っている人も多い.

　古記録に基づくと，富士山は飛鳥から平安時代にかけての期間は，数十年ごとに噴火を繰り返したことになるが，最近の産業技術総合研究所（産総研）による地質調査の結果によると，古墳時代～平安時代にかけては20数年に一度，規則的に噴火を繰り返していた火山であった．現在でも，このような，ある程度規則的に活動を続けている火山もある．たとえば，有珠山は1663年の噴火の後，32～60年ほどのばらつきはあるものの，約数十年間隔で噴火を繰り返してきた．そのため，1977年の噴火の後，防災上の安全サイドの観点から次の噴火はそれまでの休止期間の最短期間である32年後が想定されていた．つまり，早ければ2008年に噴火するであろうと考えられていたのである．ところが，実際には休止期間としてはさらに短い，23年後の2000年に噴火が発生し

た.

　このような例を見ると，時々週刊誌などで話題になる，何年何月に富士山が噴火するなどという予言はいかにあてにならないかということがわかる．規則的に噴火を繰り返しているように見える火山であっても，中長期予測で年単位の噴火予測は不可能なのである.

通常の火山噴火とは異なる巨大カルデラ噴火

　これまで述べてきた現象は，通常の火山噴火の際にしばしば目撃されるものであるが，巨大カルデラ噴火はめったに発生しないタイプの噴火であるために，近代的な観測技術が確立して以降には目撃されたことはない．しかし，10数万年のタイムスケールで見ると，わが国でも過去に何度も発生したことがあり，今後もいつかは発生することは避けられない.

　巨大カルデラ噴火の発生プロセスそのものは必ずしもよくわかっていないが，カルデラ周辺に広範な火砕流堆積物が分布することから，大規模な火砕流がカルデラ噴火を特徴づける現象であることは間違いない．巨大カルデラ噴火は最初，プリニー式噴火からはじまることが多いが，カルデラ内のどの地点からはじまったのかわからない場合も多い．最初の噴出物の多くは後続の大量の火砕流堆積物で覆われることになるからであり，カルデラ内は比較的短期間に水で満たされてカルデラ湖となり，詳細な地質調査ができないことも多いからである.

それでも，いくつかのカルデラの調査結果からすると，多くはプリニー式噴火の拡大とともに火口域が拡大し，火砕流も発生するが，大量の噴出物が地下のマグマ溜りから短時間に放出されるために，地下に空隙ができてマグマ溜りの上部がリング状に陥没をはじめる．そのリング状の割れ目からさらにマグマが噴出し，カルデラ周辺の四方八方へと火砕流があふれ出ることになるらしい．その意味では，このカルデラ形成に伴う火砕流は溢流型火砕流とよばれることもあるが，実際の詳細なダイナミクスはわかっていない．

　カルデラ噴火では大量の火砕流が放出され，ときとして100 m を超える厚さの火砕流堆積物が残される．このような高温の火砕流が堆積すると自重による圧密によりガラス質部分が変形して溶結することがある．強く溶結した火砕流堆積物では火砕物の集合体であることがわかりにくくなるので，注意深く堆積物を観察しないと溶岩流と見間違えることがある．たとえば阿蘇カルデラの火砕流の一部は阿蘇ラバ（lava）とよばれ，溶岩流と間違えられていた時代がある．

　4 万年前に現在の阿蘇カルデラが成立した噴火のとき，流走した火砕流の中には 170 km に達したものもある．火砕流の速度からすればおそらく 1〜2 時間程度で広がることになるであろう．

　このような巨大噴火が起こると，この領域には特別の気候システムができあがることになる．周辺部の大気はカルデラに向かって吸い込まれ，カルデラから流出した火砕流をはじめとした噴出物の熱によって温められ，噴出物の細粒部分をもち上げて強大な噴煙柱が形成されるのである．この巨大な

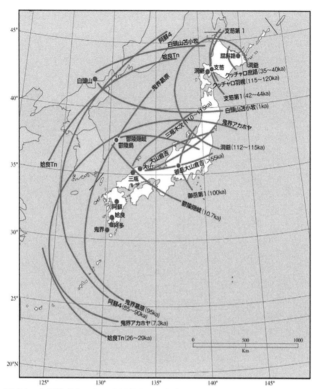

図10　大規模噴火による広域火山灰の分布

噴煙として成層圏にまで達した細粒火山灰は上空の風によって広範な地域に運ばれ，降り注ぐことになる．これらが堆積したものが広域火山灰として知られるものになる（図10）．

第3章

日本のおもな噴火

　多くの火山に火山の神をまつる神社が置かれていることからわかるように，わが国では古代から火山噴火は荒ぶる神の仕業として，畏れ，なだめる風習があった．火山噴火が発生すると，現地からの報告に基づいて，噴火をなだめるかのように朝廷から位階（神階）が授けられることもあった．このため，古代以降，主要な噴火については，詳細はわからないまでも，ある程度の記録が残されることになる．

　ここでは，これらの古記録に基づいて，また近代的な観測が行われるようになってからは，その観測に基づいて，わが国で発生した噴火のうち，タイプの異なる主なものを取り上げ，火山噴火がどのように進行するものであるかを眺めよう．

広大な森林を焼き尽くした富士山貞観噴火
（864〜866 年）

　864 年の 6 月中旬頃，富士山北麓に突然，割れ目が発生した．今から約 3000 年前の噴火で形成された火砕丘である大室山の北西 2 km ほどの地点であった．割れ目から水蒸気が立ち上ったかと思うと，すぐさま真っ赤なマグマが割れ目に沿って 100 m 近くの高さまで噴き上がって，まるで火のカーテンのようであった．

　数時間も経たないうちにカーテンがいく筋かの噴泉に絞られ，ところによっては噴泉の高さは数百 m に達したと思われる．その根元からは溶岩流が北方の広大な湖，剗の海（せのうみ）に向かって流れはじめた．溶岩流の大半はそのまま北進して，剗の海に流入して，西側のほぼ半分を埋め立てた．埋め立てられずに残った剗の海の西端部分はのちに精進湖とよばれることになる．一部の溶岩流は西に流路を転換し，本栖湖の東岸から湖に流入して止まった．

　まもなく，大室山の麓にも新たな割れ目火口が開き，ここからも溶岩流出がはじまった．この溶岩流はほぼ真北に向かって直進し，先に剗の海に流入した溶岩の上に重なった挙句，東進して残りの部分にふたたび流れ込んだが，剗の海全部を埋めるには至らなかった．剗の海の東端部はのちに西湖とよばれることになる．

　さらに，現在の長尾山に相当する場所の東にも別の火口が開き，ふたたび溶岩流が北に向かって流れだしたが，それ以前に大室山の麓から流れ出していた溶岩流に行く手を阻まれ

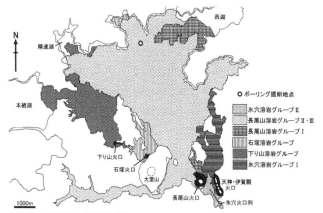

図11 貞観噴火の溶岩流分布

たため，その溶岩流の東縁に沿って北方に流れ，剗の海に達した所で停止した．しかし，噴火はそれでも収まらなかった（図11）．

　続いて，現在の長尾山の位置に新しい火口が開き，激しい勢いでマグマのしぶきを噴き上げて，長尾山のスコリア丘をつくり，その麓からは溶岩流が流出を続けた．新たな溶岩流は，それまでに流れた溶岩流の上に重なるとともに，一部は北東方向に向きを変え，河口湖方向に向かって流れはじめた．しかし，湖に到達することなく，現在の鳴沢村付近で停止した．また，長尾山のスコリア丘の西麓からも溶岩の流出がはじまり，西に向かって10 kmほど流れて停止した．

　この間に富士山北麓に分布していた広大な原始林は焼き払われたが，一部は溶岩樹型として現在もその跡を残している．また，遠方にまで達した溶岩流は溶岩トンネルを利用し

て流れたようで，現在でも，一部は氷穴，風穴として残り，当時の溶岩トンネルの様子を見ることができる．

　上記の主要な噴火活動は6月中旬に噴火がはじまってからほぼ2か月程度であったと思われる．

　この噴火でできた火砕丘である長尾山や溶岩流の総量は，長らく宝永噴火とほぼ同程度か，それ以下とみなされていた．しかし，2004年の富士火山のハザードマップ作成の後で行われた剗の海を埋め立てた溶岩流の部分でのボーリング調査（図11）の結果，溶岩流の厚さはそれまでの推定よりはるかに厚く，100 mを超えることが判明したので，総噴出量は約13億 m^3 に改訂された．1707年の宝永噴火の約2倍の量のマグマが噴出したことになったので，貞観噴火は富士山の歴史時代の噴火としては最大のものとみなされている．ほぼ2か月で13億 m^3 の溶岩流を噴出したと考えられることから，富士山の溶岩流出の最大噴出率は毎秒300 m^3 とみなされ，2021年に公表された改定版ハザードマップの基礎データとして用いられることになった．

　なお，ここで述べた貞観噴火は2018年5〜8月にかけて，ハワイのキラウエア火山東リフト帯で発生した溶岩流噴火と規模も経緯もよく似ていたと考えられる．キラウエアの噴火では700軒の住宅が溶岩流に飲み込まれたが，千年以上前の貞観噴火では記述があまりにも少なく，被害状況についてはほとんどわかっていない．たとえば，剗の海の湖岸に存在していた住居の多くは溶岩流に飲み込まれたと考えられる．しかし，溶岩流の流下速度は速くないので，キラウエア2018年噴火と同様に住民は避難して犠牲者はいなかったであろ

う．溶岩流の流路から逃れた湖岸の住居は，溶岩流が湖に流入を続けるにつれて，湖の水位が上がり，最終的には水没することになったと思われるが，古記録には具体的な記述はない．

この広大な溶岩流は現在ではうっそうとした森林で覆われ，青木ヶ原樹海とよばれるほどである．青木ヶ原樹海では方位磁石が狂うので，樹海に入ると道に迷うという都市伝説が根強く伝えられているが，実際には方位磁石が狂うことはない．比較的鉄分の多い玄武岩溶岩であり，石基には磁鉄鉱が含まれていることから，溶岩に方位磁石を密着させれば若干の変動は生じるが，通常の方位の確認を行う際に狂いが生じるほど強力な磁力をもつものではない．

爆発的噴火で江戸にも火山灰を降らせた富士山宝永噴火（1707 年）

南海トラフの海溝型地震である宝永大地震から 49 日後の 1707 年 12 月 16 日午前 10 時頃，富士山南東斜面の森林限界付近から真黒な噴煙が立ち上り，瞬くうちに 20 km 以上の高さまで上がった．宝永噴火のはじまりであった．

上空の成層圏に達した噴煙は強い西風によって江戸の方向に流された．途中軽石を降らせながら，正午頃には江戸市中に灰色の細粒火山灰を降らせた．

江戸城に登城しようとしていた新井白石は降り注ぐ火山灰で日光が遮られ，自らの手も見えないほどであったことに注目している．書物を読むにも行灯が必要なほどの暗さであっ

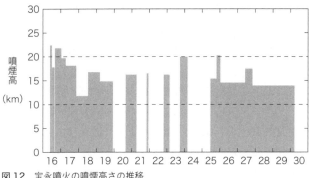

図 12 宝永噴火の噴煙高さの推移

たという．

　夕方になると灰色だった細粒の火山灰は，川砂のようにや
や粗粒になり，色も黒色に変化した．当時，現在の両国あた
りに住んでいた旗本の伊東志摩守は降灰直後から克明な記録
を日記に残しているが，江戸では 12 月 27 日まで断続的に降
灰が続いたという．

　火山灰の色が灰色だったのは噴火の最初に噴出したのが富
士火山としては非常にまれなデイサイトであったからであ
る．これも噴火開始日の夕方には，富士山に特徴的な玄武岩
質のやや粗粒な黒色火山灰に変わった．現在，地層として残
されている火山灰・火山レキ堆積物の解析から，当時富士山
に立ち上っていた噴煙の高さを復元すると，初日は 2 万
3000 m に達し，その後やや高度を下げたものの噴火中のほ
とんどの期間，1 万 5000 m を超えていたことがわかってい
る．宝永火口では，2 週間にわたってほぼ毎日のように成層
圏にまで噴煙が立ち上っていたので，噴煙は上空の西風で運

ばれて江戸市中にも火山灰を降らせ続けたのである（図12）.

　宝永噴火はサブプリニー式噴火とよばれる，噴煙を高く噴き上げる噴火である．一般的にはプリニー式噴火やサブプリニー式噴火の場合，激しく噴煙を上げるのは数時間からせいぜい数日であることが多いが，宝永噴火は途中で数時間〜1日程度噴火が休止することが何度かあったものの，じつに2週間にわたって1万5000 m以上の噴煙を噴き上げ続け，サブプリニー式噴火としては比較的まれなものであった.

　また通常のプリニー式噴火では火砕流を伴うことが多いが，現時点では宝永噴火噴出物としての明確な火砕流堆積物は発見されていない.

　初日だけで両国のあたりでは火山灰が2 cmほど降り積もり，最終的には4 cm程度であったというが，やや北にあたる本郷の富山藩の上屋敷（東大構内，附属病院付近）では8 cm降り積もったという記録がある．ただ，本郷にあった加賀屋敷跡（東大構内，薬学部付近）での発掘調査では，2 cm程度の厚さであることから（図13），加賀屋敷から数十mしか離れていない富山藩上屋敷の数値は，吹き溜まりや屋根から落ちた火山灰が厚く溜まった場所で測定されたものとも考えられる．あるいは，幕府からの見舞金などを得ることを目的に被害を水増しして実際より厚く報告した可能性もある.

　いずれにせよ，江戸市中の積灰は数cm程度で，主に徒歩で移動する時代であったから著しい被害をもたらしたわけではないが，市中では舞い上がる灰で眼病を患ったり，せき込

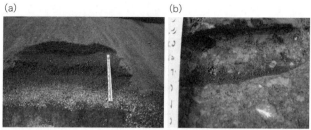

図13 宝永噴火の降下テフラ．(a) 須走（火口から 10 km），(b) 本郷（火口から 100 km）．最下部の白色部は軽石，黒色部はスコリア

む市民が続出したという．

　しかし，悲劇的だったのは江戸の西，相模原から御殿場にかけての地域であった．積灰量は数十 cm を超え，場所によっては数 m に達した．また，この地域のすべての田畑は火山レキや火山灰に埋もれてしまった．稲についてはすでに収穫期を過ぎていたが，麦や大根などのほとんどの農作物が被害にあった，さらに翌年以降，大雨があるたびに山地に降り積もった火山灰・火山レキが土石流を発生させた．流れ込んだ土砂のために河床が浅くなって，下流では洪水が発生しやすくなり，農業どころではない状態が何年も続いた．噴火そのものでは死者はいなかったようだが，土石流災害やそれに起因する飢饉のために餓死者や離農する住民が相次いだという．

　それでも現地にとどまり，農業を継続しようとした人々は，降り積もった軽石やスコリアを掘り，その下にある元の地面に深い穴を掘って，軽石やスコリアを埋め，その上に昔の畑地の土を盛り上げる「天地返し」とよばれる手法で農地

の再生を図った．

　また，火口から 10 km 圏内の須走では，高温の軽石によって東口富士山浅間神社をはじめ，その門前町をなした御師（富士山信仰の登山案内・宿所提供）たちの建物の多くも炎上した．最終的には数 m の厚さに積もった軽石，スコリアのために崩壊し，いまだに地下に埋もれている．現在の須走の町並みはこの地下遺跡の上に再建されたものである．

　被害は建物や農地だけにとどまらない．江の島，油壷では「砂降り」によりサザエやアワビが全滅し，沿岸漁業にも大きな打撃を与えたのである．

　なお，宝永火口のすぐ東側にある小丘は，宝永噴火前には存在せず，噴火の最中に突如姿を現したという記録があるため，宝永山という名前がついた．宝永山の山頂に赤岩とよばれるやや変質の進み，黄褐色に見える火砕物層が存在する．富士山の新しい噴出物とは見かけが異なることから，最近まで，噴火途中に地下で半固結状態になったマグマが突き上げ，古い山体の斜面が 200 m ほど盛り上がったと考えられていた．

　しかし，最近の研究によって宝永山は宝永噴火の最中に火口から放出された火砕物が降り積もってできた火砕丘の一種であり，赤岩は噴火中に生じた小規模な火砕サージ堆積物で，黄褐色を呈するのは石基の火山ガラスが熱水により変質したものであるということがわかった．

岩屑なだれが川に突入，1500人もの死者を出した浅間山天明噴火（1783年）

　1783年の5月初旬から現在の群馬県と長野県の県境にある浅間山では時折，爆発的な噴火が発生していた．毎回の噴火はそれほど大きなものではなかったが，山頂の北にある鎌原村や東の軽井沢の宿などでは降ってくる火山灰に小さな軽石が混じることもあった．

　8月に入ると，噴火の勢いも規模もそれまでに比べて大きくなった．4日には空高く立ち上る真黒な噴煙柱の中心部には高温の噴出物のために真っ赤な火柱が立ち上っているように見えた．噴煙のあちこちで稲妻が走り，噴煙の頂部は上空の西風に流され，噴煙からは大量の軽石や火山灰が落下し，山頂の東から東南の方向に降り積もった．山頂の北側には吾妻火砕流が流下したが，当時の集落は山頂から10 km以上離れており，居住地までは届かなかったため，火砕流による死傷者は出ていない．

　噴火の最盛期は4日の夜で，噴き上げられた大量の火山灰，軽石が軽井沢方面にも降り注いだ．落下した軽石が頭にあたって2人が死亡したほか，大きな軽石の中心部は冷え難く高温のままであるので，家屋の屋根などに落下して割れると，その熱によって炎上する家屋も続出した．火災は免れたものの，数十cm以上の厚さに降り積もった火山灰の重みでつぶれた家も数十軒以上に達した．

　このときの火山灰，軽石が降り積もった地層は山頂から4 km離れた東京大学地震研究所の浅間火山観測所の敷地で今

図14　浅間天明噴火の降下テフラ

も見ることができる（図14）.

　5日の朝には山頂部で激しい爆発が起こり，高温の岩塊が火砕流となって北側の山麓に向かって流れ下った．岩塊の大きさは10 mを超えるものもあり，掘り起こした山麓の土砂と一緒になって斜面を駆け下り，火口から13 kmも離れた北麓の鎌原村を襲った.

　1983年に行われた鎌原村観音堂の発掘で，現在の階段の最下段から土砂に埋もれた階段を10数段下に掘り進んだ部分で，2人の女性の遺骨が発見された．観音堂に向かって階段を駆け上がろうとした際に，岩屑なだれに襲われたと思われる．「鎌原岩屑なだれ」あるいは「鎌原土石なだれ」とよばれるこの堆積物には噴火に伴うマグマ性の物質（本質物）は10%程度しか含まれておらず，大部分は浅間山火山体の

表層を構成していた土砂であることから，低温の土石なだれとよぶ方が適切であると主張する研究者もいる．

この火砕流・岩屑なだれによって住戸100軒，人口570人の村落の大部分は押し流されるか埋め立てられた．

岩屑なだれはこの後吾妻川に突入し，天明泥流とよばれる土石流となった．天明泥流は川沿いの集落に被害を与えながら流下し，利根川と合流してからは一種の大洪水となって下流域に被害をもたらした．天明噴火では，岩屑なだれやと土石流・洪水による犠牲者を含めると1500人に上る．この土石流で運ばれた巨石は今でも前橋市内などで確認できる．

鎌原岩屑なだれ中の巨大な岩塊は北軽井沢の別荘地の至る所に今でも見ることができる．中には別荘の基礎として用いられている巨石もある．数十cm程度の岩塊は浅間石とよばれ，造園などで人気があり，いまだに盗掘が絶えないという．

現在，浅間山の山頂から5.5 kmの長さの鬼押し出し溶岩とよばれる溶岩流が見られるが，この鎌原火砕流・岩屑なだれと同時か直後に発生したと考えられている．

1783年には東北地方を中心に天明の飢饉が発生したことから，浅間天明噴火がその原因と主張する人もいるが，1783年6月8日にアイスランドのラーキ（ラカギガル）の噴火が発生し，成層圏に注入された硫酸エアロゾルによって，北半球全域の気温低下が発生した．東北地方の冷夏の原因も浅間天明噴火によるものでなく，ラーキの噴火によるものと考えられる．

浅間山での歴史時代の大規模噴火としてはこのほかに

1108 年の天仁噴火が知られているが，北側斜面にだけ火砕流が流れた天明噴火とは異なり，浅間山の南麓と北麓の両方に火砕流が流下している．浅間山の大規模噴火のハザードマップは，この天仁噴火を想定して作成されている．

大爆発に引き続く溶岩流出で島を陸続きにした桜島大正噴火（1914 年）

1914 年 1 月 12 日の桜島大正噴火はわが国で 20 世紀最大の噴火である．桜島で史上最大の噴火とみなされている1779 年の安永噴火とその後の断続的な噴火が終結して，桜島が静かになってからほぼ 110 年後のことである．

1914 年の噴火の前には，近くの霧島山御鉢岳で何度か噴火が続いた．桜島で噴火の前兆と思われる地震が感じられたのは 1 月 9 日の夜で，1 月 11 日には対岸の鹿児島市でも感じられる有感地震が発生した．地震の回数は時とともに増加し，多くの住民は頻発する有感地震に対する恐怖で島外に避難をはじめた．

12 日午前 8 時に，山頂から白煙が上がり，一部の集落では井戸の水位上昇や，海水温の上昇などが認められた．午前 10 時過ぎには南岳の東西両方の山腹にそれぞれ長さ 2.5 km の直線状に並んでできた複数の火口から噴煙が立ち上り，噴火を開始した（図 15a）．

当時 2 万 1000 人いた島民の約半数は，地震におびえてすでに自主的に島外に避難していたが，逃げ遅れた島民のうち25 人が泳いで避難しようとして真冬の海中で溺死した．残

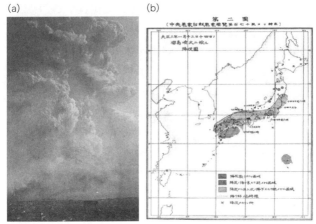

図 15　桜島 1914 年噴火．（a）1 月 12 日の爆発的噴火，（b）降下テフラの分布

りの島民は本土からの救援船で救助されている．

　1 月 12 日の午後 8 時過ぎには，西山腹で大爆発が発生し，飛来した高温の噴石と火砕流により，西桜島の 5 集落，約 700 戸が焼失した．この後，爆発はしだいにおさまり，溶岩流出に移り変わった．東山腹から流れ出した溶岩流は幅 400 m あった瀬戸海峡を埋め立て，1 月末には島と大隅半島を陸続きにした．溶岩流の総量は東西併せて 13 億 4000 m³ に達し，富士山の貞観噴火の溶岩量に匹敵する．

　大正噴火で放出された軽石と火山灰は約 6 億 m³ で，富士山宝永噴火の約 3 分の 1 であるが，噴出したのは最初の 1 日だけであった．噴煙は成層圏にまで上がったのち，偏西風に乗って北東方向に運ばれ，東京だけでなく仙台でも降灰が確認された（図 15b）．

多くの島民が噴火前の地震におびえ，自主的に島外避難を行った一方，数千人の島民が島にとどまったのには理由があった．村長が鹿児島測候所に電話で何度も状況を問い合わせたが，地震の震源は桜島ではなく，桜島に危険はないという回答が再三得られていたからであった．この測候所の回答を信じて島にとどまった住民の中から 25 人の犠牲者が発生したのである．

　東桜島村の村長は噴火の 10 年後に桜島爆発記念碑を建立，その碑文の中に「桜島の爆発は，歴史に照らして明らかなように将来も免れることはできない．住民は理論を信頼せず，異変に気づいたら噴火前に避難の準備を行うことが肝要である．日頃から倹約に努めて資産を蓄え，いつ災害に巻き込まれても路頭に迷うことがないよう覚悟すべきである」という趣旨の文章がある．この文を科学不信の書という人もいるが，理論や情報への盲信を戒め，自ら災害への備えを怠らないようにする心構えを説いたととらえるべきであろう．

外輪山割れ目噴火で 1 万人が島外避難をした伊豆大島 1986 年噴火

　伊豆大島火山では 1986 年 6 月頃から，全磁力の観測で，地下の磁力が減少を続けており，地下では温度上昇が続いていることが推測されていた．また，三原山火口を横断する側線で定期的に測られる三原山直下の地下の電気抵抗（比抵抗）も減少を続けていた．地下に電気抵抗の低い物質，マグマかあるいはそれから分離した水蒸気がじわじわと地表に近

付いていることを暗示する結果だった．山頂付近の地震活動も静穏期に比べ回数がやや増加していた．

これらの観測事実はいずれも噴火が近づいていることを示していると思われたが，水準測量の結果は，山頂部が隆起しておらず，むしろ沈下していることを示していた．10月30日に開かれた火山噴火予知連絡会では，水準測量の結果を重視して「大規模な噴火が切迫していることを示す兆候は認められないが，将来の噴火へ移行する可能性が否定されたわけではない」とする会長コメントを発表した．この背景には，伊豆大島とマグマ組成が比較的似ているハワイのキラウエア火山では，噴火の直前にはマグマの上昇によって山頂部が隆起し，噴火後に急激に沈降するという規則性が数多くの噴火で確認されていたことがある．玄武岩質火山では噴火前に山頂の隆起あるいは山体の膨張が起こるというのが世界の火山学界の常識となっていたのである．

しかし，このコメント発表からほぼ2週間後の11月15日に，火口内の南壁から真っ赤なマグマが噴出し，火口底に流入していることが確認された．1974年の山頂部での小規模噴火以来の12年ぶりの噴火発生であった．

火口付近ではときに高さ500mに達するマグマのしぶきが噴き上がり（溶岩噴泉），噴煙は3000mの高さにまで及んだ．その後も火口からのマグマの噴出は続き，火口はしだいに埋め立てられた．島内では有感地震も頻発した．

噴火前には深さ230mあった山頂火口は19日10時35分にはマグマで完全に埋め立てられ，平坦になった山頂部で溶岩流として流動をはじめた．

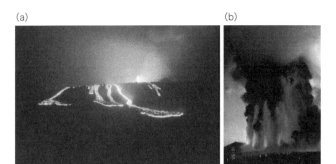

図16　伊豆大島1986年噴火. (a) 山頂噴火, (b) カルデラ床割れ目噴火

　14時43分には高温の溶岩流に飲み込まれて火口茶屋が焼失, さらに15時55分には三原神社が焼失し, 三原山山頂からあふれ出した溶岩流がカルデラ床に向かって流下をはじめた（図16a）. 19日午後11時過ぎになると噴火活動が弱まり, 有感地震も急激に減少した. 20日午前中には溶岩流が停止し, 有感地震も1回のみであった.

　ほぼ半日以上の静穏の後, 21日未明からは山頂部で断続的に爆発が発生するようになり, 昼頃には山頂の溶岩湖のマグマの一部が数m以上の大きさの風船のように膨れ上がり, はち切れると激しい空振を伴ってマグマのしぶきを飛び散らせるようなマグマ爆発が何度も発生した. また, 14時頃から群発地震が発生し, 震度4の地震が10数回発生した.

　16時15分, カルデラ床に割れ目が生じ, 水蒸気の噴出による白煙に続き, 黒煙とマグマの火柱が立ち上った. 割れ目は三原山山頂部とカルデラ床北西方向の2方向に拡大するとともに, 高さ1kmあまりのマグマの噴泉が上り, 噴煙は10

km の高さにまで達した（図 16b）．サブプリニー式噴火の発生であった．西風に流された噴煙は房総半島にも降灰をもたらしたが，島内では一周道路を越えて，島の東岸にある「海のふるさと村」に最大数十 cm に達するスコリアが落下した．

　16 時 40 分頃，外輪山山頂付近の登山道路に亀裂が発見されたことから，16 時 54 分に外輪山の上にある「大島温泉ホテル」およびその周辺の人々に対して避難指示が出された．山頂から最後に下山した研究者や報道陣のグループが元町に到着した頃，中腹からマグマのしぶきが噴き上がった．元町から見ると日没後の暗闇の中でまさに火のカーテンのようであった．17 時 47 分，400 年ぶりに外輪山外側での割れ目火口からの噴火が発生したのである．外輪山外側に開口した火口列からのマグマの噴泉は 20 時頃には下火になったが，火口列のうち C6 とよばれた火口から流出した溶岩流が元町に向かって流下しはじめていた．

　18 時 46 分には市街地に溶岩流が到達することをおそれて，元町地区に対し避難指示が発出された．19 時には大島町に対し災害救助法が適用され，東京都は災害対策本部を設置した．19 時 2 分に主に観光客からなる島外避難の第一陣388 人が連絡船シーホークで元町港を出港した．その後，島内各地区に対して次々に避難指示が出され，20 時 23 分には島内全域に避難指示が出されて，住民は岡田，元町，波浮などの港に集結した．しかし，この時点では島外避難は想定されておらず，島内避難場所で噴火推移を見守る予定であった．

21時には気象庁が「昭和61年（1986年）伊豆大島噴火」と噴火の正式名称を決定した．

その後，島の南部の一周道路で割れ目が発見されたことから全島に影響を及ぼすようなマグマ水蒸気噴火が発生することを懸念して，22時50分に島外避難指示の発令がなされた．全島避難が完了したのは翌22日午前5時20分であった．1万人の島民が約6時間で島を脱出したのである．この避難には東海汽船が所有する連絡船だけでなく，海上保安庁の巡視艇や一部では漁船も活用された．

C6火口から流れ出し，谷沿いに山麓を流下していた溶岩流は，24日には元町黒まま地区集落の200m上流側にまで達した．溶岩流先端に放水して冷却固化させ，進行を止めるために，コンクリートミキサー車で海水をピストン輸送し，3日間で1590トンの放水が行われた．また，先端部近くの地面を掘削して溶岩流を流し込むための遊砂地もつくられた．しかし，溶岩流自体はすでにほぼ停止状態であったため，果たして放水の効果があったかどうかはわからない．せっかく掘った遊砂地にも溶岩流が流れ込むことなく，その手前で停止したままであった．

22日まで活発な噴煙活動を行っていたカルデラ内の割れ目火口では，23日になって新たに溶岩流出が認められ，長さ約500mに達した．この溶岩流は火砕丘の二次流動によるものと考えられる．

島外に避難した住民の多くは都内の体育館などに滞在することになったが，その環境は決して満足なものではなかった．その後は目立った噴火活動は生じなかったため島民の多

くは早期の帰島を希望した.

　当時の東京都知事であった鈴木俊一は島に渡り,マスコミの前で「この静けさは噴火の前の静けさというよりも,噴火の後の静けさである」という感想を述べ,クリスマスまでの帰島実現を宣言した.一方,当時の火山噴火予知連絡会の会長であった下鶴大輔は気象庁で記者会見を開き,噴火はまだおさまっていないことを強調した.実際,12月17日には山頂部で噴火が発生し多くの火山弾が放出されたが,影響範囲はカルデラ内に限定されていたために,帰島は予定通り行われた.専門家によるリスク評価とは別に,社会的・経済的影響を考慮して政治家によるリスク管理が行われた例である.

　全島避難とはいえ,東京電力が島内の電力確保のため保守要員を島に残留させて発電を続けたため,噴火の推移を判断するための火山観測も途切れることなく続けられた.また,留守宅の保安のために派遣された警視庁の機動隊員もその活動を継続できた.

　島民が島に戻って約1年後,山頂で爆発が生じた.その際,火山弾などが多数放出されるとともに山頂火口を埋め立てていた溶岩は地下に戻り,山頂部にはふたたび深さ400mの火口が出現した.

溶岩ドーム崩落による火砕流で43人が犠牲になった雲仙普賢岳噴火

　雲仙普賢岳1990〜95年噴火は1990年11月17日の水蒸気噴火ではじまった.

噴火に先立って，およそ半年前から普賢岳の西方20 km
にある千々和湾の地下深部に端を発する震源の位置が次第に
浅くなり，かつ雲仙普賢岳に近づきつつあった．山頂直下で
の地震が増えた時点で，九州大学島原地震火山観測所では，
噴火の発生を予想して，観測体制の強化を文部省に申し出
た．この強化策の第一弾として普賢岳周辺への地震計設置が
行われたのが11月15日であったが，17日には普賢岳山頂
の地獄跡火口から水蒸気噴火が発生し，大量の細粒火山灰が
放出された．

　その後しばらく噴火活動は休止していたが，1991年2月
から，コックステールジェットを伴う激しい噴火が断続的に
はじまり，山体はごく細粒の火山灰で覆われた．当時，コッ
クステールジェットはマグマ水蒸気噴火に特徴的なものとみ
なされ，マグマが比較的浅部の地下水位レベルにまで到達し
たとみなされた．コックステールジェットはその後，2018
年1月の草津白根山本白根の水蒸気噴火などでも目撃される
など，必ずしもマグマ水蒸気噴火に特有のものではないこと
が現在ではわかっている．ただし，普賢岳から放出された当
時の火山灰中には発泡した新鮮なガラス片が含まれており，
マグマが浅所まで上昇してきたことは事実である．

　5月15日には，時間雨量10 mm程度の比較的少量の降雨
にも関わらず，中尾川で最初の土石流が確認された．降り積
もった細粒火山灰は水を通さないため，モルタルのようにな
って，降った雨水を集めて川のように流れはじめ，流水によ
って侵食された火山灰と一緒になって土石流となったもので
ある．

図17　雲仙普賢岳 1990〜95 年噴火．（a）溶岩ドームと火砕流堆積物，（b）流走する火砕流

　5月の連休中に普賢岳の急速な膨張が光波測量により観測され，山体内へマグマ貫入が行われていると推測された．膨張はその後も続いたが，5月20に山頂部に4分割された半球状の溶岩ドームが確認された．地下からのマグマの継続的な注入によって，溶岩ドームは拡大を続け，24日に末端部が急崖に達して崩落し，火砕流となって水無川沿いに流下した．その後，溶岩ドームの拡大・一部崩壊・火砕流発生という一連のプロセスが何度となく繰り返され，火砕流の流走距離は次第に延長することになる（図17）．

　5月末から，溶岩ドームの東方約3kmの北上木場集落の高台にマスコミ関係者が頻発する火砕流の映像を撮影するために連日集結していた．この高台は「定点」とよばれていた．6月3日にそれまでで最大の火砕流が発生し，「定点」にいたマスコミ関係者，その送迎にあたっていたタクシー運転手や警戒区域の保安にあたっていた消防団員など43人が火砕流から派生した火砕サージに襲われ，死亡した．死亡者の中には世界各地の噴火映像撮影で有名なクラフト夫妻とそ

の案内にあたっていた火山研究者のハリー・グリッケン氏も含まれていた.

　6月8日には溶岩ドームの一部爆発を伴うプレー式とよばれる噴火と火砕流が生じたが，それ以外の火砕流は基本的には溶岩ドームの崩落によるメラピ型とよばれる溶岩流崩壊型のものであった.

　溶岩ドームを形成する溶岩ローブ（長さが短い溶岩流）の成長方向はときに応じて変化し，結果として先端部が崩壊し，火砕流が流下する方向も変化した. 最初の火砕流が発生した水無川沿いに続いて，北東側の千本木方面への火砕流の流下がしばらく続いた後，再度，南東方向の赤松谷方向にも火砕流が流下することとなった.

　火砕流堆積物はその後の降雨によって生じる土石流の供給源となり，下流の多くの田畑や人家が土石流により破壊・埋積された. そのうち，1992年8月の土石流で被災した家屋11棟が今でも土石流被災家屋保存公園に保存・展示されており，土石流災害のすさまじさを学ぶことができる.

　溶岩ドームの成長と火砕流発生のサイクルは3回の盛衰を繰り返し，4年後の1995年に活動を停止した.

　1990年に噴火がはじまったときにも，また1991年に溶岩が山頂に確認されたときにも，推移予測のために比較想定されたのは，一つ前の噴火である1792年噴火であり，雲仙火山では数千年に1回程度しか発生しない溶岩ドーム形成噴火になろうとは当初，誰一人想定できなかった. 一般に火山噴火が発生した際には，直近の噴火の記憶が鮮明であり，また情報量も多いため，推移予測では直近の噴火を参照しがちで

あるが，雲仙普賢岳噴火の例は火山防災のためには過去の長い期間にわたる噴火史を踏まえておくことの重要さを示唆している．人間の1万倍の寿命をもつ火山を人間のスケールで判断することの傲慢さを示しているともいえる．

噴火前に住民1万6000人が避難した
有珠山2000年噴火

　北海道の有珠山では2000年3月31日に23年ぶりの噴火がはじまった．噴火数日前に有感の地震が群発したことを契機に，3月29日に気象庁から現在の噴火警戒レベル5に相当する「緊急火山情報」が発表された．周辺自治体はそれを受けて避難勧告，避難指示を行い，1万6000人の住民が事前に避難していたため，噴火によるけが人や犠牲者は発生しなかった．そのため，火山噴火の予知は実用化に達したという評価がマスコミなどを通じて社会に宣伝され，1995年の阪神・淡路大震災を引き起こした兵庫県南部地震を予知できなかった地震学に対比して，鮮烈な印象を社会に与えることになった．

　確かに，噴火の予知に成功したことは事実ではあるが，長年研究されてきた地下のマグマの動きをとらえて噴火を予知するという意味での成功ではなかった．それまで知られていた7回の有珠山噴火では，いずれも群発地震の発生後数十時間〜1週間程度で噴火が発生することが知られていたため，有感地震を伴う群発地震発生で緊急火山情報が発信されたに過ぎない（表1）．言うならば，理屈はよくわからないもの

表1　有珠山の噴火履歴

噴火年	噴火地点	主な活動	火砕物の体積	被害など
1663年	山頂	軽石噴火，火砕サージ	2.5 km³	多量の降灰により家屋埋積・焼失，死者5人
17世紀末？	？	（詳細不明）	（ごく少ない）	（記録なし）
1769年	山頂	軽石噴火，火砕流，溶岩ドーム［小有珠］	0.11 km³	火砕流により南東麓で家屋火災
1822年	山頂	軽石噴火，火砕流，潜在ドーム［オガリ山］（※）	0.28 km³	火砕流により南西麓で1村全焼，死者82人
1853年	山頂	軽石噴火，火砕流，溶岩ドーム［大有珠］	0.35 km³	住民避難，赤く光る溶岩ドーム出現
1910年	山麓（北）	水蒸気爆発，潜在ドーム［明治新山］	0.003 km³	降灰により災害，火山泥流により死者1人
1943〜45年	山麓（東）	マグマ水蒸気爆発，溶岩ドーム［昭和新山］	0.001 km³	降灰・地殻変動により災害，幼児窒息死1人
1977〜78年	山頂	軽石噴火，マグマ水蒸気爆発，潜在ドーム［有珠新山］	0.09 km³	降灰・地殻変動により災害，土石流により死者3人
2000年	山麓（北西）	マグマ水蒸気爆発，潜在ドーム［2000年隆起域］	0.001 km³	降灰・火山泥流・地殻変動により災害

（※）1977〜78年噴火の地殻変動で地表に顔を出した．

の，古老の言い伝えを守って避難したら被害を免れたことに近いのである．

　何よりも残念なことは，噴火に先立って地震活動以外にどのような地殻変動が生じていたのかを知るデータが取得されていなかったことである．兵庫県南部地震の後，GPSを利用して地殻変動を観測する手法はすでに火山地域でも普及していたが，北海道大学有珠火山観測所は有珠山の噴火は噴火履歴からして最短でも2008年以降だと考えていたので，地

殻変動観測のための機器の設置が行われていなかった．地震発生後に設置された GPS 装置による観測ではすでに急激な地殻変動が発生していることが確認されたが，いつ頃から地殻変動がはじまったのか，その変動レートはどのようなものか，結局わからないままである．

　また，火山噴火予知の成功が強調されるために，あまり知られていないが，住民の一部はハザードマップに従って安全地帯と思われる避難所に避難したものの，避難所のごく近くに火口が開き噴火が発生したために，急いでさらに西側の別の地域に再避難し，かろうじて被災を免れるという混乱もあった．当時のハザードマップでは一つ前の 1977〜78 年の噴火と同じように山頂で噴火が発生することを想定しており，山麓での噴火を想定していなかったのである．

　判断を間違えれば，多くの住民が降りしきる噴石の中を避難せざるを得なくなる危険性と紙一重であったのである．

　噴火そのものは，当初予想されたような山頂での大規模な爆発的噴火に移行することなく，山麓での噴火が続いた．このため，山麓では地殻変動が著しく，鉄道の線路が変形したり，国道が大きく隆起したり，国道や町道に火口ができて，いくつもの家屋が火口に飲み込まれるなどの被害も発生した．

　居住地の近くに新たにできた火口から放出された大きな噴石によって，屋根に穴が開けられる建物も続出した．山腹に降り積もった火山灰からは降雨に伴って土石流（ラハールともいう）が発生し，下流の家屋が破壊されるなどの被害も生じたものの，住民は全員避難していたので人命の被害はなか

った.

　あらかじめ用意されていたハザードマップで想定された山頂噴火と，実際に起こった噴火が異なっていたにも関わらず，1人の犠牲者もなく住民の避難が行われた理由の一つに，噴火前に激しい地震が断続的に生じ，住民が本当に不安に駆られていたことがあげられる.

　このため，行政から避難指示が発出されると，多くの住民は率先して避難場所に向かったのである.しかし，もっと重要なことは1977〜78年の山頂噴火の直後から，北海道大学有珠火山観測所が中心になって，周辺自治体の住民を対象に火山防災教育を熱心に行っていたことである.この教育を受けた世代が噴火発生時に自治体の職員に成長していたという事情もあった.

　住民と自治体職員が火山についての知識を身に付けていて，噴火の怖さを理解していたことが完璧な事前避難につながり，犠牲者がゼロとなったのである.

　地震の発生状況と噴火のタイミングについては，一つ前の噴火である1977年噴火や，さらに一つ前の1945年噴火とは大きく異なり，1910年噴火にそっくりであった.通常，直近の噴火の記憶が鮮明なために，同様の噴火が起こるのではないかと思いがちであるが，噴火の発生は多様であることに注意する必要がある.

山頂陥没によるカルデラ形成と大量ガス放出の三宅島 2000 年噴火

2000 年 6 月 26 日夕刻，三宅島の直下で突然地震が群発しはじめた．震源はだんだん浅くなっていたから，1983 年噴火のときのように地震発生後数時間で噴火に至ることも予想されたが，その通りには事態は進展しなかった．地震発生から数時間後，傾斜計や GPS による観測で，島の東側浅部に達したマグマが島の直下で方向を変え，西方に向かって移動をはじめたことがわかったので，27 日早朝には島の西側海底で噴火が発生することが想定された．

翌 27 日午前 9 時 30 分頃，噴火発生を予想して早朝から継続的に監視を続けていたヘリコプターによって西海岸から 1 km の沖合で海水の変色が発見され，海底噴火が発生したとみなされた．この時点では海水の変色という状況証拠だけであったが，その後の無人潜水艇による調査で，水深 100 m の海底に新たな火口が出現し，溶岩流が流出した跡が確認されている．

この海底噴火を機に，島の直下を震源とする地震もおさまったので，当時の火山噴火予知連絡会は事実上の終息宣言を発表した．これを受けて，6 月 30 日には東京都と三宅村の災害対策本部も解散した．ところが，噴火はこれで終了したわけではなかった．

7 月のはじめになって，今度は山頂直下の浅部で地震が発生し，それとほぼ同時期に，三宅島と神津島の間の海底下で頻繁に地震が起こりはじめた（図 18b）．

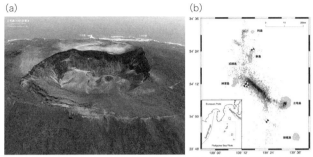

(a)　　　　　　　　　　　　　　　(b)

図18　三宅島2000年噴火．（a）山頂陥没，（b）噴火時に発生した海底地震の震央分布

　7月8日に山頂で小さな噴火が起こった翌朝，山頂に直径1 kmほどの穴が開いているのが見つかった．深さ100 mほどの穴の底には，山頂の起伏がもとのままに残っていた（図18a）．

　山頂部の地形がそのまま穴の底に残っていることは，爆発によって山頂が吹き飛ばされたのではなく，リング状の割れ目に沿って陥没したことを意味している．その後も，陥没は断続的に続き，最終的には直径1.7 km，深さ450 mの小カルデラが形成された．このようなカルデラの出現は三宅島では約2500年前の噴火以来のことであった．

　この陥没を契機に，カルデラ内で時々マグマ水蒸気噴火が起こるようになり，セメント粉のようなごく細粒の火山灰が大量に山腹に降り積もった．このような細粒の火山灰は水を通しにくいので，雨が降ると土石流を発生しやすいが，三宅島の住民は1983年の噴火までは水はけのよい，粗粒のスコリア（黒い軽石）の降下・堆積しか体験したことがなかった

ので，土石流が発生するとは思っていなかった．しかし，7月26日には，時間雨量4mmの降雨で土石流（ラハール）が発生し，その後は雨が降るたびに，島のあちこちで土石流が頻発することになった．

8月10日の小規模な火砕サージを伴う激しい爆発的噴火に続き，18日には噴煙の高さが10kmにまで達する激しい爆発的噴火が発生した．立ち上った噴煙から直径数cm程度の火山レキが住宅地に降り，自動車の窓ガラスが割れるなどの被害が出た．

この日の噴火を境に，子供たちとともに島外へ自主避難する家族が増えはじめた．7月はじめから三宅島と神津島の間の海底ではじまった地震は依然として続いており，島では連日，激しい揺れが感じられていたことも自主避難を後押しした．

8月29日には，火砕流が山頂カルデラ内から発生したが，数十℃の低温で，流走速度も火砕流としては異常なほど遅かったが，最終的には海岸にまで達した．三宅村ではこれを受けて，島に残っていた学童・生徒の島外避難を決行した．さらに，9月はじめには全島避難が指示されたが，この時点で島の総人口の約6割は，すでに島外に自主避難していた．

島民より一足先に避難していた島の児童たちは，多摩地域の全寮制の秋川高校の校舎で，寄宿生活を送りながら2学期を迎えることになった．

9月はじめに島外避難した島民はいったん代々木の国立オリンピック記念青少年総合センターに入居したが，東京都はただちに都内各地の公営住宅の空き家を島民に提供した．

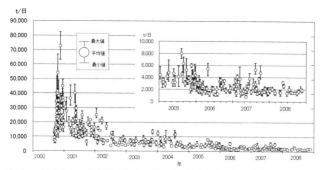

図 19　三宅島 2000 年噴火時とその後の二酸化硫黄ガスの表出

　これらの迅速な東京都の措置は，先に述べた 1986 年の伊豆大島噴火による全島避難の教訓に基づくものであった．避難した大島島民たちは帰島までの約 1 か月間，都内の体育館などで苦しく不便な避難生活を送らなければならず，体育館などに避難中の学童たちは，バラバラになって都内の小中学校に転入することとなり，授業の継続が非常に困難だったからである．

　島外避難は，噴火活動がさらに活発化することをおそれて指示されたのであるが，予想に反して，9 月以降は噴火らしい噴火はほとんど発生しなかった．ところが，避難前後から大量の二酸化硫黄を含む火山ガスの放出が続き，結局 4 年半後の 2005 年 2 月まで帰島できなかったのである（図 19）．

　このように長い避難生活が続くと，さまざまな問題が発生した．児童を秋川の寄宿舎に入れたことによって，三宅島での授業の継続はできた．しかし，児童と親の隔離という不自然な事態から，時間がたつにつれ児童を避難先に引き取る家

庭が増え，秋川での生徒数は半年後には激減した．

　島での日常生活の環境を都内に整えるためにとられた迅速な公営住宅の提供も，別の問題を引き起こした．数千人の島民をまとめて収容できる公営住宅の空き家はあり得ないので，都内各地に分散した空き家に入った島民は近隣の住民と離ればなれになってしまい，島のコミュニティが分断されるという問題が生じたのである．長い避難生活の間に生活基盤が都内に移ってしまい，帰島を断念する人も続出し，島の人口が大きく減少するという事態も生じた．

　三宅島噴火は陥没カルデラの発生過程を世界ではじめて目撃し，世界の火山観測史上でも貴重な噴火であったが，火山防災の観点ではさまざまな課題を残した．伊豆大島1986年噴火とは異なり，全島避難の際に電力保守が行われなかったために，火山噴火を監視する観測も一時期途絶えることになった．

　また，ほぼ20年ごとに規則正しく噴火を繰り返してきた火山でも，数千年に1回程度しか起こることのない火山現象が現実に起こりうることも示された．大量の細粒火山灰の放出や度重なる土石流災害という，それまでの三宅島の噴火では経験したことのない事態にも直面した．比較的規則正しく，同じような噴火を繰り返していた火山であっても，いつも同じような噴火をするわけではないことがはっきりと示されたのである．

　また，規模が大きな噴火の最中には，二酸化硫黄のような大量の有毒ガスが大気中に放出されることはこれまでもハワイのキラウエア火山やイタリアのシチリア島のエトナ火山，

メキシコのエルチチョン火山などの例からよく知られていたが，今回の三宅島の例のように，大規模な火山噴火が起こらなくとも大量の有毒ガスを含む火山ガスが火口から流出し，山麓に住めなくなる事態が生じることがありうることがはじめて知らされた．

ほぼ300年の休止を経て本格的な活動期に入った霧島山新燃岳

　1716〜17年の享保の噴火以来，何度かの小規模な噴火はあったものの，それぞれは単発の水蒸気噴火で終わり，全体としては比較的静かな状態にあった霧島山新燃岳で本格的な噴火が開始したのは2011年1月19日のことであった．噴火調査に赴いた鹿児島大学の研究者が採集した火山灰が気象庁経由で届き，その分析にあたった東京大学地震研究所の研究者から，新鮮なマグマ片が含まれているという解析結果が火山噴火予知連絡会に届いたのが26日であった．

　マグマ含有の報告が届いて間もない同日の午後2時過ぎには，それまでの連続的だが小規模な火山灰放出からサブプリニー式噴火に移行し，火口から噴煙が海抜8000 mほどまで立ち上った．南西の風に流された噴煙からは軽石が北西に位置する宮崎県高原町方面に降り注いだ．火口近くでは小規模ながら火砕流も発生した．翌27日にも未明から2度にわたってサブプリニー式噴火が発生し，それぞれ数時間にわたって噴煙から軽石を降らせた．その後，28〜31日にかけて火口内にマグマが噴き出し，300 mの深さがあった開口部の直

径 300 m の火口を埋め立てたが，火口縁から溶岩流が流出するまでには至らなかった．

ところが，1 月 30 日夜に火口内をマグマが埋め立てている頃，気象庁で火砕流発生の可能性が検討されているという誤情報が高原町に伝わり，火砕流の到達をおそれた高原町は深夜にも関わらず火口から 6 km 付近の住民 1500 人に避難指示を出した．

火口を埋め立てる溶岩をヘリコプターから観察したところ，噴煙の隙間から見えた溶岩の一部がこんもりと盛り上がっているように見えたことから，溶岩ドーム形成という言葉がマスコミを駆け巡った．当時はまだ 1991 年の雲仙普賢岳における火砕流災害の記憶が残っており，溶岩ドームという言葉は 43 人の犠牲者を出した火砕流を想起させたのである．

しかし，火口を埋めた溶岩流は平べったく，パンケーキのような形状で，火口縁からあふれ出すような状況でもなかったので，気象庁でも火砕流発生は想定していなかった．

この新燃岳噴火では，噴火開始時から気象庁からの情報伝達の遅れが目立っていたので，地元自治体は気象庁に対する不信感を募らせていた．この事情が誤情報に基づく避難指示につながったのである．

1 月 26 日のサブプリニー式噴火発生にも関わらず，気象庁から噴火警戒レベル引き上げの連絡があったのは，高原町が町内への軽石降下開始を受けて災害対策本部を立ち上げてから 2 時間後のことであった．それまで気象庁からは噴火に関する情報発信はまったく行われていなかった．情報の欠落が不信と不安をもたらした典型的な例である．噴火という緊

急時には，状況に変化がないという情報も含めて，丁寧な情報発信が必要である．

　その後，2月1日には火口を埋めた溶岩湖の一部を破って，ブルカノ式噴火が発生し，直径2mほどの岩塊が火口から3.2kmの地点にまで達し，着弾点では地面に直径4mのインパクトクレーターが出現した．また，この噴火に伴って発生した空振によって，鹿児島県霧島市でホテルなどの窓ガラスが破損する被害も生じた．2月14日の爆発的噴火では，火口から約10km離れた宮崎県小林市に小さな噴石（火山レキ：火口を埋めた緻密な溶岩の破片）が降下し，車のサンルーフなどが破損する被害があった．

　2月1日の噴火以降，9月上旬まで何回もブルカノ式の爆発的噴火を繰り返したが，ほとんどの噴火の数時間前には山頂側が膨らむ傾向の地殻変動が傾斜計で観測されている．この規則性は2月段階で認識されたので，その後の火山情報の発信に役立った．

　また，短期的な噴火予知という視点からは，文頭に述べた1月19日の噴火の際に，迅速な試料移送と解析が行われていれば警戒の態勢も変わっていたかもしれない．監視業務にあたる気象庁に噴出物解析の機能が欠落していたことも一因であるが，噴火規模の急速な拡大の前には何らかの明確な前兆が物理観測によってとらえられることを期待していた，当時の火山学の限界でもある．

　先に述べたように，26日朝から連続微動の振幅が大きくなるのとほぼ同期して連続的な有色噴煙が認められるなど，現地の防災関係者の証言によると，それ以前の活動とは明ら

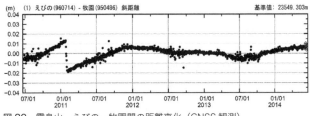

図 20　霧島山，えびの―牧園間の距離変化（GNSS 観測）

かに異なる挙動があったのであるが，気象庁は 9 時 30 分に
それまでの噴火が継続していることを伝える火山解説情報第
10 号を発表しただけで，特段の警戒を求めていない．

　サブプリニー式噴火の開始から 3 時間近くたってからはじ
めて発表された火山解説情報第 11 号には「15 時 30 分頃か
ら噴火の規模が拡大し，灰白色の噴煙が火口縁上 1500 m ま
で上がり，南東方向に流れています」という記述があるのみ
なので，気象庁は噴火の様式が急変してマグマが自律的に発
泡し，軽石を放出する噴火になったことを認識していなかっ
たことがわかる．

　この噴火では，3 回のサブプリニー式噴火と山頂火口への
溶岩充填にそれぞれ同期して，新燃岳北東約 7 km の地下 10
km の深さに存在していた 2009 年 12 月以来の膨張源が，収
縮したことは注目すべき事項であり（p173，図 40 参照），
この火口から離れた位置にある膨張源が新燃岳噴火のマグマ
供給源であったことが明らかになった（図 20）．

　この膨張源の存在は 2010 年 5 月頃から気象庁や研究者の
間では認識されていたが，新燃岳からは離れていた（北西 7
〜8 km）ことと，この膨張源の近傍のえびの高原付近で若

干の地震活動の活発化が認められていたことから，噴火発生まで新燃岳との関連は認識されていなかった．この膨張は1月26日の噴火まで一定速度で継続していた．このため，火山噴火予知連絡会，気象庁では新燃岳，御鉢の活動とは別に，霧島山の別の活動として区別してとらえ，その旨を公表していた．

なお，この膨張源の収縮とサブプリニー式噴火および火口内への溶岩充填とが同期し，時間差がなかったという事実は，準プリニー式噴火開始前に10 km近く離れたマグマ溜りと山頂火口との間にマグマ移動による時間差を生じさせないだけの十分に大きなマグマ供給経路が確立していたことを示唆するが，これがいつの時点で，どのように成立したかはいまだに知られていない．

上記のように2011年1月に本格的マグマ噴火がはじまったのであるが，この噴火に先立って2008年8月22日に新燃岳火口内でごく小規模ながら水蒸気噴火が6回発生した．2010年3〜7月にかけても山頂火口内でたびたび水蒸気噴火が発生したが，個々の噴火に先立つ前兆をとらえることはできなかった．1月26，27日のサブプリニー式噴火を経験した後では，2010年3〜7月にかけての新燃岳での複数回の水蒸気噴火はサブプリニー式噴火の前兆現象であったとみなされるが，これらの水蒸気噴火が発生していた当時は後のマグマ噴火の前兆現象だと指摘されることはなかった．このような「後知」ともいえる噴火後の前兆現象の認定は将来の噴火予測の確立にとって重要であるが，火山地域で起こる異常現象が本格噴火の前兆現象であると事前に指摘することは容易

ではない.

　このことからすると，観測装置そのものが存在しなかった100年前以前に噴火し，その後噴火をしていない火山や，観測機器整備が不十分であった数十年前以降噴火を経験していない火山で，今後何らかの異常現象が発生しても，その現象を噴火の前兆ととらえて，何らかの火山情報を発信することができるかどうかは疑問である．これは，火山噴火予知が経験則によっていることによる限界である．

戦後最大の犠牲者を出した御嶽山 2014 年噴火

　2014 年 9 月 27 日の御嶽山噴火の犠牲者は死者 57 人，行方不明者 6 人に達した．1910 年の有珠山噴火にはじまるわが国の火山観測史上では，1926 年の十勝岳火山災害の 144 人の犠牲者に次ぐ大惨事で，戦後最悪の火山災害となった．

　噴出物量は 50 万トン程度で，火山噴火としては小規模な部類に入る．飛散した火山岩塊（大きな噴石）も火口から 1.5 km の範囲内に収まるなど，爆発力もとりわけ大きなものではなかった．

　しかし，紅葉のきれいな時期の週末で，昼食を取るために晴天下，見晴らしの良い山頂付近に多くの登山者が滞在しているときに突然発生した噴火であったため，大変な惨事となったのである．新たに開口した火口から山頂までは 500 m 程度しかなかったので，山頂近くの祈祷所や山小屋の壁には，大小さまざまな，数多くの投出岩塊が衝突した．火山噴火の規模は小さくても，噴火の現場近くに人がいれば災害は

大きくなるのである．

　御嶽山は活火山としては富士山に次ぐ標高をもつ成層火山で，富士山よりはるかに古く，78万年前に活動をはじめた．12万〜6万年前にかけて「プリニー式噴火」とよばれる激しい爆発的な噴火を何度も繰り返した．

　御嶽山は，6000年前頃までマグマ噴火を繰り返していたが，その後は水蒸気噴火だけで，マグマが直接関与した噴火は知られていなかった．また，歴史時代には噴火が発生したという記録はなかった．

　1979年10月28日の早朝に，山頂近くの地獄谷にできた火口列から突然水蒸気噴火がはじまり，数時間後に噴火のクライマックスを迎えた．放出されたテフラは，2014年噴火とほぼ同量で，50万トン以下であった．歴史時代の噴火の記録はなかったことから，当時は死火山が突然噴火したなどと騒がれたが，当時から気象庁も御嶽山を活火山とみなし，先に述べた国際火山学協会の火山カタログにも活火山として記述されてていたので，これは一部の火山専門家とマスコミの勘違いである．

　その後，1991年と2007年には，火口周辺にのみ少量の火山灰が確認される程度の非常に規模の小さな噴火が発生した．このように規模は小さかったが，1991年5月の噴火では，噴火1か月ほど前から山頂直下を震源とする地震や微動が継続していた．2007年3月の噴火の際には数か月前から地震活動が活発化し，GNSS（全地球航法衛星システム）による観測でも山体が膨らむような地殻変動が観測されていた．この経験が2014年噴火の際にあだとなったのかもしれ

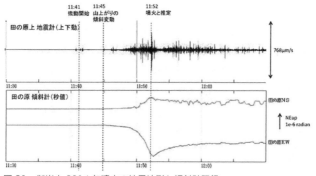

図21 御嶽山2014年噴火の地震波形と傾斜計記録

ない.

　2007年噴火の後,御嶽山直下で地震はほとんど起こっていなかったが,2014年8月の末頃から地震が観測されるようになった.9月10日に山頂直下で地震が発生し,1日の回数が50回を超えた.翌日になっても地震の回数は増える一方だったので,気象庁は火山解説情報を出して,地震が増えていることを関係機関に伝えた.11日には最終的に80回にまで達したが,翌12日には地震が数回にまで減ったので,噴火警戒レベルはそれまでどおりレベル1の「平常」のままに据え置かれた.

　その後も地震は少ないながらも続き,以前のようにゼロになることはなかったが,当時は2007年噴火の前に観測されたような地殻変動はほとんど認識されなかったために,噴火警戒レベルは据え置かれたままであった.なお,噴火後の精査によって微小ながら地殻変動が生じていたことが判明した.

図22　投出岩塊で傷ついた山頂祈祷所

　9月27日午前11時41分に火口から3.5 km離れた田の原観測点で火山性微動のはじまりが記録された．45分には山頂の南東3 kmの地点に置かれた傾斜計が山頂方向に地盤が盛り上がるような変化を示しはじめた（図21）．その後，11時52分に突然噴火がはじまった．西北西から南南東の長さ900 mの直線上に分布する複数の火口が山頂南側の地獄谷に開き，噴煙とともに数〜数十 cm程度の火山レキや岩塊（大きな噴石）が飛散した（図22）．多くは火口から1 km以内に着弾したが，中には1.4 kmまで達したものもあった．

　山頂付近にいて逃げ遅れた多くの登山者の中には，降り注ぐ噴石のために負傷するか，命を落とす人が続出した．約7000 mの高さまで立ち上った噴煙中の細粒の火山灰は，風

に流されて東北東から東の方向に運ばれ，山梨県でも降灰が確認された．

　南東側に置かれた監視カメラでは山頂方向から火砕流が流下する様子がとらえられた．火砕流が通過した場所では樹木が燃えた痕跡は確認されなかったことから，火砕流の温度は300℃よりかなり低かったと思われる．火砕流の一部は山頂部にも流れ，登山者の中には火砕流に巻き込まれた人もいた．

　犠牲者が多くなったのは，火山噴火への対応を示すキーワードが「平常」である噴火警戒レベル1に置かれたままだったために，登山者の多くが警戒することなく，火口が開いた地獄谷直上の見晴らしの良い場所に集中していたためであるという指摘もあった．事故後，活火山である以上，火口内での突然の噴火もありうるという意味で，噴火警戒レベル1のキーワードは「活火山であることに留意」に改められた．しかし，噴火災害後に地元新聞社が行った調査によると，当時の登山者の多くは御嶽山が火山であるという認識すらもっていなかったという．このことからすると，大災害をもたらしたのはキーワードの問題ではないかもしれない．

　噴火がはじまると間もなくクライマックスに達したことも被害が拡大したもう一つの原因である．逃げる暇もなかった．中には噴煙を見ても，噴火だという認識はなく，噴煙を背景に記念撮影をしていて逃げ遅れた人もいたようである．

　9月10，11日に地震が増えた時点で，噴火警戒レベル2の火口周辺警報が出されるべきだったという意見もある．確かに，レベル2になっていれば地元行政も規制を行うはずな

ので，あれほど多くの登山者が火口の近くにいるという事態にはならなかったであろう．しかし，ほかの火山の例などからすると，地震増加でレベル2に上げたとしても結果的に噴火に至らず，空振りになる可能性も十分考えられる．そのため，警戒レベルは1のままでも，地震が増えたという情報を登山者に直接伝える方法を考えるべきだといった意見もある．

9月11日に火山解説情報が気象庁から発出された際に，NHKでは地震回数が増加していることをローカルニュースとして放送している．しかし，御嶽山のような著名な山への登山者は地元の人間に限らず，他県からも訪れることを考えると，火山活動の異常に関する情報は全国版で報道することが適切だと考えられる．火山噴火の予測のような，不確実な情報をどのように伝えたらよいのかについては，まだ正解は見つかっていない．

溶岩流出で拡大する西之島噴火

西之島は東京の南，約1000 kmの小笠原諸島の一部で，父島の西130 kmにある無人島である．1702年にスペインの船が最初に見つけたとされるが，今は東京都小笠原村の島で，世界遺産の一部となっている．

西之島は1973〜74年にかけても，今回の噴火と同様に，マグマ水蒸気噴火による新島生成に続いて，溶岩流出によって島の拡大が行われた．このときの噴火では新島と本島の合体は生じなかったために，西之島新島とよばれた．ところ

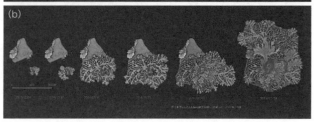

図 23　西之島新島．（a）誕生時のマグマ水蒸気噴火（2013 年 11 月 23 日），（b）成長の過程（2014 年末まで）

が，噴火停止後，西之島新島のかなりの部分が波によって浸食され，波で削られてできた砂が潮流で運ばれて，西之島本島との間を砂州として埋め立てた．こうして新島と本島が合体して，今回の噴火前の西之島（旧島）を形成していた．

　この西之島（旧島）の南方 500 m の地点で，マグマ水蒸気噴火が発生し，直径数十 m の新島が出現した．2013 年 11 月 20 日のことである．

その後，数日間は地下から上昇してきたマグマが海水と接触しては激しい爆発を起こすマグマ水蒸気噴火を繰り返し，火口から放出された火山弾や火山レキ，火山灰などの火砕物が火口周辺に降り積もって円錐型の小島が形成された（図23a）．

この激しい噴火の結果，多量の火砕物の堆積によってマグマと海水との接触が絶たれたため，噴火の様式はそれまでのマグマ水蒸気噴火から，マグマのしぶきを断続的に噴き上げるストロンボリ式噴火に変わり，火口周辺に火砕丘を成長させた．火砕丘のふもとからは溶岩流の流出も行われるようになった．この溶岩流の流出によって，マグマ水蒸気噴火で堆積した火砕物の表面は溶岩流で覆われ，波による浸食にもある程度耐えられるようになった．

その後もマグマ流出が止まらず，火砕丘の麓からさまざまな方向へ溶岩流出が続き，島は拡大を続けた（図23b）．

海上保安庁の観測によると，今回の噴火でつくられた新島の部分が東西1400 m，南北1100 mで，面積はおよそ2.7 kmに達した時点で一旦，活動が停止した．2015年11月17日のことである．2017年4月に噴火活動を再開したが8月にはふたたび停止した．約1年間の再休止の後，2018年7月12日に再度活動を開始したが，長くは続かなかった．2018年と2019年には噴火が休止していた合間をぬって上陸が敢行され，生物生態や溶岩流の調査なども行われ，地震計も設置された．

2019年12月6日に噴火を再開し，少なくとも2020年7月中旬まではそれまでと同様に大量の溶岩流出が続いていた

が，その後，連日数千 m の高さにまで噴煙を噴き上げる爆発的な噴火に変わった．気象衛星ひまわりの画像に，西之島から噴き上げる噴煙がくっきりと映し出され，少なくとも8月はじめまでは 100 km 程度先までたなびいている様子が観測された．2020 年9月の噴火休止時の映像では，2018 年までの様子とは大きく異なっていた．火砕丘が巨大化するとともに火口直径も拡大し，溶岩流表面は数 m 厚さの火山灰で覆われ，かつて確認された溶岩流表面の流理構造などはまったく見えなくなった．

　2021 年8月，硫黄島南方の福徳岡ノ場での噴火が発生したときに，西之島も噴火を再開したが短時間で終了した．両者は 100 km 以上離れ，マグマ組成もまったく異なることから，同時噴火は偶然と考えられる．2022 年10 月からふたたび激しく噴煙を噴き上げ，二酸化硫黄の火山ガスが噴出している様子が観測されたが1週間ほどで静穏化した．

　火砕丘の形状は大きく変わったものの，噴火期間中のマグマのしぶきを上げる火口の位置は 2013 年11 月の噴火開始の時点からほとんど変化していない．

　2013 年にはじまる噴火で噴出した西之島の溶岩は伊豆小笠原弧の火山島にしては珍しく，シリカが 60％程度の安山岩であった．ところが，2019 年末の噴火で噴出した溶岩はシリカが 55％程度の玄武岩質安山岩に変化していた．新たなマグマが深部から供給されたことが 2019 年末からの噴火様式の急変に影響していると思われる．このことにどのような意味があるかは今後の研究にかかっている．

　なお，この噴火で旧島が新しい溶岩流に飲み込まれた時点

で，気象庁は島の全域を警戒区域に設定し，海上保安庁も周辺海域における航行規制を行った．調査船を有する公的研究機関であるJAMSTEC（海洋研究開発機構）は海上保安庁の航行規制を理由に，研究者の再三の要請にも関わらず調査船の島への接近を拒否した．このため，火山研究者は小笠原村の漁船をチャーターして島に上陸することを計画した．しかし，海上保安庁の意向を忖度した船主はチャーターに応じなかった．このため，継続的な溶岩流出の観察記録は，人工御衛星による画像と時折，海上保安庁やマスコミが研究者を同乗させて撮影する上空からの画像の解析以外にはできなかった．上記のように2018年に噴火が休止し，警戒区域が火口から500 m以内に狭められるまで，上陸調査はもちろん船舶で島から数km以内に接近することすらできなかった．

　2018年5月にハワイ島キラウエア火山で発生した3か月間に及ぶ連続的な溶岩流出が，3交代制を取った90人以上の研究者によって連日24時間観測され，SNSを含む，さまざまな手法で噴火の進行状況が世界中の研究者に伝えられたことと対照的である．噴火開始からの最初の約2年間，世界の火山研究者からは西之島でどのような噴火が進行しているのかについて問い合わせが相次いだが，それに答えることができなかったことが日本の火山研究者として悔しい思いを残した．科学技術の先進国を標榜するわが国が学術研究に対して無関心でかつ冷淡であることは嘆かわしい現実である．

第 4 章

マグマ　その 1：マグマの特徴

　マグマは火山噴火を引き起こす要因であるとともに，地球創生の時代に蓄積された地球内部の熱を地球表面から効率よく宇宙空間に放出し，地球を冷却させる，いわば人体でいえば血液の役割も果たす重要な物質である．これまで火山と火山噴火に伴う現象について述べてきたが，火山噴火を引き起こすマグマについての詳しい説明は後回しにしてきた．火山や地球について考えるときには，マグマについての理解が不可欠である．この章では，このマグマの特徴について述べる．

　火山をつくる源であるマグマは，地下の岩石が融解してできた流体である．完全に液体だけのこともあるが，多くの場合，結晶や気泡を含んでいる．本書ではマグマのうち，液体部分と含まれる結晶などを区別しなければならないときには，液体部分をマグマ（メルト）とするが，文脈から混乱が

ないと思われるときには，結晶を含んでいても，含んでいなくても，マグマという用語を用いることにする．

マグマはごくまれに硫黄や炭酸塩や鉄酸化物の融解物が主体となるものもあるが，ほとんどは岩石と同じくシリカを主成分としているので，本書ではシリカを主成分とするマグマに限定する．

マグマの温度は化学組成によって異なるが，現在我々が火山噴火の際に遭遇するマグマの大部分は900〜1300℃の範囲の高温である．

「現在」と断ったのは，太古の時代の火山岩を調べると，過去にはもっと高温だったと思われるマグマが活動したことが知られているからである．始生代（40〜25億年前）にはコマチアイトマグマとよばれる，現在の火山で噴出するマグマに比べてはるかにマグネシウム（Mg）に富みシリカ（SiO_2）に乏しい1500℃以上の高温のマグマが噴出した．このような高温のマグマが活動した背景には，地球内部の温度が現在よりも高温であったことがあると考えられている．

マグマは流体であるが，その流動性をコントロールする粘性（粘度）は化学組成や温度・圧力によって大きく変化する．現実に見られるマグマでも，その範囲は10〜10^{11} Pa/sまで，10桁も変化する．このようなマグマを斜面に沿って流そうとすると，流れる速度も10桁変化することになる．毎秒10 mで流下するものから1日に0.1 mmの速度で流下するものまであることになる．1日に0.1 mmでは，ほとんど固体と見分けがつかない．

マグマが地表に出てくると，溶岩とよぶことがある．地表

を高温のまま流体として流れるマグマを溶岩流というが，固結して岩石になったものも溶岩とよぶのである．中には，地中にあるときはマグマとよび，地表に現れるとマグマではなく溶岩とよぶべきと主張する人がいるが，このような区分は必要ない．地表のマグマの流れは溶岩流とよぶこともあると思えばよい．

マグマの種類

　マグマは物理的性質だけでなく化学組成も非常に幅が広い．このため，マグマのことを取り扱う際には，その化学組成によっていくつかの種類に分類して名前を付ける．同じような性質，化学組成のものをまとめると議論をする際にも便利である．マグマの名前は，マグマが冷えて固まったときにできる岩石の名前が使われる．たとえば，冷却固化した場合に玄武岩とよばれる火山岩になるマグマを玄武岩マグマとよび，安山岩として固まるマグマを安山岩マグマとよぶのである．

　マグマの分類のもとになる火山岩の名前の付け方にはいろんな方法が用いられるが，基本となるのは第1章で述べたように火山岩の中で最も量が多い成分，シリカの量で分類する方法である．この方法はマグマの物理的性質を表現するためにも都合が良い．大部分のマグマの粘性はマグマの成分のうち最も量が多いシリカの量と密接な関係があるからである．

　日本の火山岩はシリカが少ないものから順に，玄武岩，玄武岩質安山岩，安山岩，デイサイト，流紋岩と名付けられる

ことは本書の冒頭に述べた．日本だけでなく，太平洋を取り囲むように分布するプレートの沈み込み帯に沿った火山帯では，このような比較的単純な分類で，ほぼすべての種類のマグマを取り扱うことができる．

　しかし，アフリカなど大陸の内陸部やイタリア南部の火山から噴出するマグマは，このシリカによる分類だけではうまくいかない．じつを言うと，わが国でも伊豆・小笠原諸島のうち硫黄島より南部では，この単純な分類は適用できない．たとえば，2021〜22年のはじめにかけて沖縄をはじめ各地の海岸に漂着し，船の航行が妨げられるなど経済的にも多くの被害をもたらした軽石は，2021年8月に硫黄島の南の海底火山，福徳岡ノ場の噴火によるものであるが，このマグマは粗面岩とよばれるもので，上の単純な分類では表現できない．

　このようなことを考慮して最もよく使われる分類は，シリカの重量％を横軸にとり，縦軸にアルカリ，すなわちナトリウムとカリウム酸化物量の総和を表示する方法である（図24）．この図の中で，日本を含む太平洋周辺の火山で活動するマグマの大部分は，シリカの増加に伴って，アルカリもゆるやかに増加する，比較的単純なトレンド（図中の破線で囲まれた部分）を示している．アルカリの量も数％程度と，あまり多くない．シリカだけで分類しても，混乱が生じることがほとんどないのはこのためである．

　一方，イタリアの火山などではアルカリが多く，シリカの変化だけで表現することが困難であり，アルカリの量に応じた名称が使われる．たとえば，ポンペイの街を軽石で埋め尽

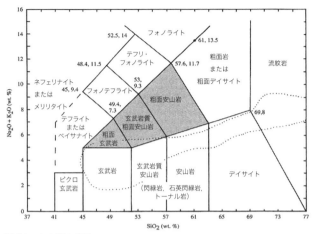

図24　火山岩の分類

くした紀元79年のヴェスヴィオ山のプリニー式噴火で放出
されたマグマはフォノライトまたはテフリフォノライトとよ
ばれ，シリカの量で見ると54〜58％で，日本の火山岩では
玄武岩質安山岩ないし安山岩のシリカ量に対応する．一部の
教科書では，プリニー式噴火のように激しく爆発的な噴火は
シリカに富むマグマであると書かれているが，日本を含む環
太平洋地域では通用しても，世界の火山に対しては必ずしも
的確な表現ではない．

マグマの性質と火山の形状

　火山の形状とマグマの性質，とくに粘性との関係は高校入
試などにも頻繁に出題される課題であるが，誤解されている

ことも多い.

　上に述べたように，マグマの主成分であるシリカは，玄武岩で50％前後であり，安山岩，デイサイト，流紋岩の順にシリカの量は増えていく．マグマの中でのシリカは，中心のケイ素（Si）原子に4つの酸素（O）原子がつながったSiO_4の四面体が基本になっている．この四面体の酸素を共有することによっての四面体の鎖ができる．この鎖のつながり方がマグマの粘性を決めることになるのだが，シリカが増えるほど酸素の共有も増えて，長い鎖や多重に重なった鎖ができ，粘性が増える.

　また，マグマの温度は一般にマグマ中のシリカの量が増えるほど低い．マグマの温度が低いほどマグマ中の分子の運動が不活発になるため，同一組成のマグマでも温度が低くなると粘性が高くなる．このため，シリカの量と温度の効果が重なって，通常の条件では玄武岩，安山岩，デイサイト，流紋岩の順にマグマの粘性が増加すると思ってよい.

　連続的な流体として運動する溶岩流の場合には，マグマの粘性そのものが溶岩流の形状に反映される．玄武岩のようにシリカが比較的少なく，粘性の低いマグマは流動しやすいために，平らな場所では広がって流れ，冷却固化した際には平らに広がった地形をつくる．安山岩のように粘性がやや高いマグマになると流動性が低下するために，分厚い溶岩を形成し，溶岩流の末端には高い崖を形成して停止，固化することも多い．さらに粘性の高いデイサイトや流紋岩マグマは流動しにくいため，流出地点，すなわち火口近くに盛り上がって，溶岩ドームを形成することも多い.

もし火山がほぼ溶岩流だけからなるのであれば，火山の形はマグマの粘性で決まるはずである．ところが，わが国の多くの火山は溶岩流と火砕物が交互に積み重なった成層火山であり，成層火山の形はマグマの性質によって決まるのでなく，むしろ固体の集合である火砕物が積み重なった際の安息角に左右されるので，30度程度の比較的急傾斜の斜面をつくる．

　一部の教科書ではマグマの粘性は玄武岩，安山岩，デイサイト，流紋岩マグマの順に高くなるので，玄武岩マグマは楯状火山を，安山岩マグマは成層火山を，デイサイト，流紋岩マグマは溶岩ドームをつくり，粘性の増加によって平らなものから盛り上がった形状に変化すると説明しているが，これは正しくない．

　中には，富士山は典型的な成層火山であるから，安山岩マグマで形成されるなどという誤った記述が見られる教科書まである．富士山は典型的な成層火山であるが，決して安山岩マグマでできているのではない．9割以上は玄武岩マグマで形成され，しかも，日本の玄武岩マグマのうちでも最も粘性の低いものなのである．富士山に限らず，世界の玄武岩マグマからなる火山で成層火山となるものは多い．

　このことからわかるように火山の形とマグマの粘性とを一対一に関係付けることは正しくない．そもそも，第1章で述べたように楯状火山はハワイのマウナロアやキラウエアのように通常直径100 km以上の巨大な山体をつくるのに対し，溶岩ドームは多くの場合数km以下の小さなものである．このように規模が大きく異なる火山の形状をマグマの粘性との

関連のみで比較することの意味合いはない.

マグマの粘性と爆発性

　マグマの爆発性の決め手は噴火直前のマグマ中の気体成分，とくに水の量であることは前に述べた（p44 参照）．一般にマグマ中の水の量はマグマ中のシリカ量と関係する．マグマが結晶晶出によって，玄武岩からシリカの多いマグマへと変化する場合，水は結晶には含まれずメルト中に溶け込みやすいので，マグマの組成変化とともにマグマ（メルト）中に水が次第に濃集することになる．したがって，一般にはシリカに富むマグマほど水に富むことになる．

　水が溶け込んだマグマが，噴火に向けて地表に向かって移動してくる際には，圧力の低下によってマグマ中への水の溶解度が減少するため，水は気泡となってマグマ中に析出する．気泡を含んだマグマが地表に近づくと，マグマにかかる圧力が下がるので，気泡中の水蒸気の圧力とマグマの圧力との間に大きな差が生じ，結果として気泡が急激に膨張して爆発に至る．したがって，マグマの爆発性は噴火直前にマグマが気泡をどれだけ含んでいるかによる．

　一般的にはシリカに乏しい玄武岩マグマよりもシリカに富むデイサイトや流紋岩マグマの方がもともと含んでいる水の量は多い．とはいっても，せいぜい数重量%から，多くても10%程度である．この程度の少量でも，水（水蒸気）の密度はマグマに比べて数千分の一と非常に小さいので，地表付近の圧力では水はマグマに比べて圧倒的に大きな体積をもつこ

とになり，爆発が起こるのである．

　マグマよりもはるかに密度が小さい気泡は，マグマ中で浮力を得て上方に移動しようとする．マグマの粘性が低い場合には析出した気泡はマグマ中を速やかに浮き上がって，最終的にはほとんどが噴火前にマグマから分離してしまう．ところが，シリカに富む，粘性の高いマグマの場合にはマグマ中での気泡の上昇速度は小さいので，気泡はマグマから分離しにくく，噴火直前まで気泡を含んでいることが多い．シリカに富むマグマが玄武岩マグマのようなシリカに乏しいマグマに比べて爆発的な噴火を起こしやすいのはこのためである．

　一般的にはこのようなマグマの粘性と爆発性との関係が成立するが，マグマの上昇速度が速いと，粘性の低いマグマでも気泡が抜け切る前にマグマが地表付近に達し，爆発的噴火を起こすこともある．逆に，粘性の高いマグマでも上昇速度が非常に遅かったり，火道壁付近で差応力がかかったりすると気泡の合体が起こり大きな浮力をもつ気泡となるので，結果として効率的に気体成分がマグマから取り去られてしまい，地表に達する頃には，爆発性を失うこともある．シリカに富むマグマでも爆発的噴火を起こさずに溶岩ドームを形成するのはこのような場合である．

マグマがつくられる場所

　マグマの最大の特徴は化学組成が連続的であるという点である．マグマ中で最も多い成分であるシリカでいえば50%前後の玄武岩マグマから70%を超す流紋岩マグマまで連続

的な組成をもつ．マグマはこのように幅広い化学組成を示す高温の液体であるが，どのようにしてつくられるのであろうか．

　地球内部にそれぞれのマグマの化学組成に対応する岩石が存在し，それらが融解することによってさまざまな化学組成のマグマができると考えるかもしれないが，地球内部でマグマが発生できるような温度条件に近い，地下深部のマントルとよばれる領域にある物質の化学組成は，どのマグマとも一致しない．主成分元素で見ると，マントル物質は地球全体を通してほぼ均質な化学組成をもっているのであるが，我々が知るマグマの組成とはまったく異なるのである．火山で見られるマグマと同じ組成をもつ既存の岩石が融解してマグマがつくられるのではない．

　さまざまな化学組成をもつマグマが存在する要因については，液体であるマグマが冷却，結晶化する過程と岩石が融解しマグマがつくられる過程とに区分して考えるとよい．結晶化する過程でのマグマの多様性は，親マグマがさまざまなプロセスを経て，結晶を晶出する際のマグマ（メルト）の化学組成の変化として生み出されるものである．

　親マグマは，マントルでつくられる，玄武岩マグマの一種であると考えられている．このような親マグマを本源マグマとよんだこともあるが，最近では初生マグマとよぶことが多い．もっともすべての玄武岩マグマが初生マグマではない．玄武岩マグマの中でも初生マグマとよべるものはごく一部であることは後に述べる

　このように初生マグマの生成とは，地球内部の岩石が融解

することなので，マグマ生成の過程での化学組成の多様性を知るためには，地球内部にどのような岩石が存在するか，地球内部がどのような温度構造になっているかを理解する必要がある．このため，次章では一旦マグマのことから外れて，地球内部の構造と物質について考える．

第5章

地球内部の構造と物質

　火山の分布の項で述べたプレートテクトニクスの考えは地球の力学的構造に基づいている．地球表面の冷たくて固いプレートはリソスフェアともよばれ，その下には温度が高く，やわらかいために流動しやすい状態の，アセノスフェアとよばれる部分が広がっている．さらに深い，2900 km の深さにあるコアまでの岩石部分はメソスフェアとよばれることもあるが，プレートテクトニクス自体は地球表面の運動を取り扱うので，内部構造がとくに問題になることはない（図25）．

　海のプレート（リソスフェア）がつくられる場所は海嶺であるが，海嶺直近のプレートはマグマが固結してできた地殻部分だけからなるので，その厚さはほぼ7 km だが，海嶺から離れるにつれて，アセノスフェアが冷却してリソスフェアに転換されるので，プレートはその厚さを増し，数十〜100 km 程度まで成長する．一方，陸域のリソスフェアの厚さは

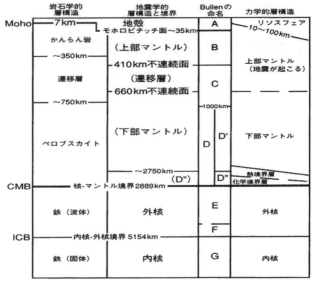

図 25　地球の層状構造

その縁辺部を除くとほぼ一定で，200 km ほどある．

　プレートテクトニクスのこのような力学的な区分は，火山の分布とテクトニクス場の関係などを知るためにはわかりやすいが，火山のもととなるマグマの化学組成や生成条件を理解するためには，地球内部を物質として眺める必要がある．

地球内部の物質構造

　地球内部の地震波速度の不連続として認められる地球内部構造は物性の違いによる構造であり，実質的には物質の境界

である．プレートとよばれるリソスフェアは，物質的には均質ではなく，下部はマントルとよばれる物質，上部は地殻からなる2重構造の積層板である．この2重積層が，ほとんどの場合力学的には一体としてふるまうと考えられている．

　リソスフェアの厚さは陸域と海域とでは大きく異なるが，リソスフェアの上部を占める地殻の厚さも陸域と海域とで大きく異なる．陸域では数十km以上の厚さがあるが，海域，つまり太平洋や大西洋などの大洋の海底に広がる地殻は厚さ7 km程度でほぼ一定である．陸域と海域では，地殻の厚さだけでなく，地殻そのものの化学組成も異なる．

　海域の地殻は海洋地殻ともよばれ，海嶺での火山活動で噴出したマグマが溶岩流として海底に流出して固まってできた玄武岩とそのもとになったマグマ溜りが固まってできた斑レイ岩とからなる．海台とよばれる特殊な場所を除けば，海洋地殻の厚さも化学組成も，どの海域でもほぼ一定である．

　海台は海嶺でつくられた7 kmの厚さの海洋地殻の上に数km程度の盛り上がりがあとで付け加わった領域で，海台部分では地殻の厚さは10～10数km程度になる．海台そのものを構成する物質の化学組成については，まだ試料が十分に採取されていないこともあってよくわかっていないが，限られた掘削結果からすると，微量成分や同位体比などは海嶺でつくられる玄武岩とは異なっているものの，玄武岩を主体としていると考えられている．このような海台の活動は白亜紀の中頃，とくに1億～9000万年前に活発であったようである．オントンジャワ海台やケルゲレン海台といった，最大級の海台はこの時期につくられ，過去のホットスポットの活動

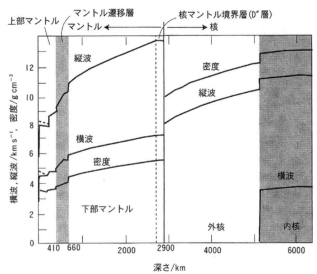

図 26　地球内部の地震波速度分布と密度分布

の初期に，海洋地殻の上に形成されたものと考えられている．

　一方，陸の地殻の厚さは数十km以上あり，一部の大陸の下では100 kmに達する．その化学組成は平均的には安山岩質であるが，決して一様ではない．大雑把にいうと，地殻上部は花コウ岩質で，地殻下部はより深部の地球内部でつくられたマグマが地殻下部にとどまって固結した斑レイ岩質の岩石である．化学組成は玄武岩質であるが，地殻下部の高温高圧のために，多くは角閃岩あるいはグラニュライトとよばれる変成岩となっている．

　陸域でも海域でも地殻とマントルの境は，この境界での地

震波速度の異常を発見した科学者に因んでモホロビチッチ不連続面，通常モホ面とよばれる．モホ面の下のマントルとよばれる部分の岩石は深さ2900 kmまで続くが，それより深い部分はコアとよばれる鉄を主体とした物質である．

　地震波速度の不連続に基づくと，マントルはさらに下部マントルと上部マントルとに分かれ，660〜2900 kmまでの部分は下部マントルとよばれる（図26）．厳密にいうと上部マントルは地下400 kmまでとされ，400〜660 kmの部分は遷移層とよぶ．

　上部マントルと下部マントルの化学組成はほぼ同一であるという考えと，上部マントルと下部マントルとは主に (Mg, Fe)/Si 比に関して若干化学組成が異なるという考えがあり，今でも決着はついていない．このことは地球内部の対流などのメカニズムを理解するうえで重要な課題であり，地球の形成を考えるうえでも重要であるが，ここでは深入りはしない．

マグマのふるさと，マントルの物質

　マントルがどのような物質であるかを調べるためには，地表からボーリングによって孔をあけ，地下深部の岩石を取り出せばよいのだが，じつはこれは大変な作業で，人類はまだ成功していない．

　1958年にアメリカ国内の海洋研究所群は共同計画としてモホール計画を開始し，モホ面までを貫くボーリングを行い，マントルの岩石を採集しようとした．狙った場所は，地

殻の厚さが7kmと薄いのでマントルに到達しやすい海洋底であった．実際に1961年にカリフォルニア沖の水深3800mの地点で，世界ではじめて深海掘削を開始し，海洋地殻の岩石の一部採取に成功した．当時の大統領，ジョン・F・ケネディが深海掘削の成功に賛辞を贈るほど盛り上がったのであるが，結局1966年には財政難で中止となった．

　その後，わが国を含む多国間協力による国際深海掘削計画（IPOD，IODP）の一環として掘削船を使ってマントルを掘りぬこうという計画が立てられ，何度か深い掘削が行われたが，まだ地殻を掘りぬいてマントルに達するという悲願は実現していない．このように地球内部の物質を入手することは，科学技術が発達し，宇宙空間の惑星や小惑星の表面の岩石を採取し，地球にもち帰ることができるようになった現在でもチャレンジングな作業なのである．

　人類がボーリングによって掘った孔で最も深いものはロシアのコラ半島でのもので13.5kmであるが，これは陸の地殻の部分での掘削であるため，地殻の上部にすぎず，マントル到達にはほど遠い．

　人工的にマントルまで孔を掘って，その岩石を採取することは実現できていないが，じつは一部の火山がマントルのサンプルを地表まで運んでくれるので，我々はマントルの岩石を入手・研究することができる．このようなサンプルはマグマによってとらえられたマントルの岩石という意味でマントル捕獲岩とよばれるが，マグマ中に含まれるマントル物質という意味でマントル包有物ともよばれる．その化学組成に着目して，超苦鉄質ノジュールや超塩基性ノジュールとよぶこ

ともある.

　そのような貴重なサンプルを運んでくれるマグマを噴出する火山の一つが，キンバーライトとよばれる特殊なマグマを噴出した火山であり，200 km 程度までの深さの岩石を得ることができる．キンバーライトはダイヤモンドを地下深部から地表に運んでくることでも知られる．ダイヤモンドはマントルの一部を構成する鉱物なのである．しかし，残念ながら，このようなキンバーライトマグマの活動は日本では知られていない．

　キンバーライトマグマの活動がないとマントルの岩石が入手できないかというと，じつはほかにも手段がある．キンバーライトとは異なり，現代でも世界のあちこちで活動しているアルカリ玄武岩とよばれるマグマが活動する火山では，時折マグマによって地下から運ばれてきたマントルの岩石を採取することができる．残念ながら，ダイヤモンドがつくられるほどの深さの岩石は無理だが，地下数十 km 位の深さに相当するマントル最上部の岩石のかけらを入手できる（図27）.

　ハワイのオアフ島の古い火山やハワイ島のフアラライ火山などが有名であるが，世界各地でも発見されている．日本でも秋田県の一ノ目潟火山や島根県の隠岐道後火山など何か所かの第四紀火山が知られているが，現在までのところ日本の活火山では発見されたことがない．ただし，フィリピン，ピナツボ火山の 1991 年の噴火で噴出したデイサイトの軽石中にマントル捕獲岩が発見された．このような例は世界でも極めて珍しいが，日本の活火山でもよく探せば見つかるのかもしれない.

図27 マグマで運ばれたマントル物質

　マグマによって運ばれなくとも，かつてマントルを構成していた岩石が地表に現れることがある．プレート同士の衝突のような，大規模な断層運動が起こった場所では，マントルそのものが地表にまで押し出されることがある．たとえば，スペインのロンダ地域や北海道の神居古潭地域にあるアポイ岳などが有名である．また，海洋域のマントルが露出している場所として，オマーンなどがよく知られている．

　このような地表で入手されたマントルの岩石の研究によって，マントルの化学組成や鉱物組成が明らかになっているので，これらが融解してできるマグマの特徴がわかるのである．

マントルの岩石

　マントルを構成する岩石はペリドタイトとよばれるもので，主要な鉱物はカンラン石，カルシウム（Ca）に乏しい輝石，Caに富む輝石の３種類であり，このほかに量的には多くないが，アルミニウム（Al）に富む鉱物を含んでいる．このうち，カンラン石は岩石全体の約70％を占める．

　カンラン石は別名ペリドットともよばれ，黄緑色の透明な鉱物で，指輪やネックレスなどにも使われる貴石でもある．また，Caに富む輝石も少量のクロム（Cr）を含むため，鮮やかな緑色をした貴石である．アルミニウムに富む鉱物であるガーネットもザクロ石とよばれる赤紫色の貴石であり，マントルはいわば宝石箱のようなものである．

　ペリドタイトに含まれるアルミニウムに富む鉱物はガーネットと述べたが，じつはペリドタイト中のアルミニウムに富む鉱物の種類は，圧力に応じて変化する．深さが数十kmの地殻直下のマントルでは斜長石が，それよりも深い圧力では，輝石と斜長石が反応するので，アルミニウムを含む鉱物は斜長石からスピネルに変わり，さらに50〜60kmの深さになるとスピネルと輝石が反応して，ガーネットが安定になる．このため，マントルペリドタイトを入手したとき，アルミニウムを含む鉱物の種類によって，由来したマントル内の深さがおおよそわかる．もちろん，共存する輝石などの鉱物の化学組成を調べ，熱力学的な計算を行うと，由来したマントル内の深さや温度を定量的に推定できる．

　このようにマントルペリドタイトのアルミニウムに富む鉱

物種は圧力とともに変化するが，カンラン石，輝石の種類は上部マントルの圧力内ではほとんど変化しない．とくに全体の70％以上を占めるカンラン石については，その化学組成もほぼ一定のままである．カンラン石は比較的シンプルな化学組成であり，$(Mg, Fe)_2SiO_4$ で表されるが，マントルペリドタイト中のカンラン石の場合，$Mg/Mg+Fe$ の値は0.87〜0.92と非常に限定的な組成を示すことが知られている．しかも，ペリドタイトを構成する鉱物のうち最大量であるために，ペリドタイトが部分的に融解してマグマをつくる際に，融解度が増加してマグマ組成が変化する際にも，その組成がカンラン石と平衡状態にあるという条件から，初生マグマの $Mg/Mg+Fe$ の値は限定されることになる．このことを利用すると，あるマグマがマントルの融解でできたままの組成をほぼ保っているか，あるいはその後さまざまなプロセスを経て，その化学組成を変化させたものであるかを判定できる．このことについては，マグマ生成の項で述べることにする．

マントル内の温度分布

地球内部の温度は，リソスフェア内では対流が生じないので熱伝導による温度分布を示し，アセノスフェア内では対流による断熱温度勾配を示す．リソスフェア内の熱伝導による温度構造は地表付近の熱流量測定から求めることができる．アセノスフェア内の温度分布は，地震波速度の不連続面がマントル物質の相転移境界だとするとほとんどユニークに決まる．

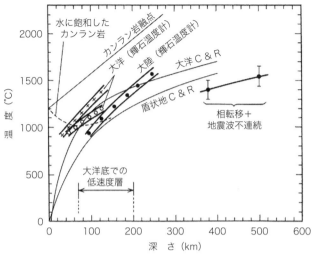

図28 マントル内部の温度分布

　マントル物質の主成分がカンラン石を主体とすると考えられるので，410 km と 660 km の不連続面はそれぞれ，カンラン石 – ワズレアイト，リングウッダイト（ワズレアイト）– ブリッジマンナイトの相転移境界とみなすことができる．深さ 520 km でワズレアイトはリングウッダイトに転移するのだが，この深さには地震波の不連続は見られない．マントル捕獲岩などの研究結果から，マントル中のカンラン石の Mg/Mg＋Fe 比はほぼ一様で平均的には 0.9 であるので，超高圧実験で求められた結果を用いると，この組成の 400 km すなわち 12 GPa における転移温度は 1450℃であり，660 km すなわち 18 GPa の温度は 1600℃であることになる．このことからマントル内の温度構造は図のようであると推定される

(図 28).

　このような推定とは別に，キンバーライトやアルカリ玄武岩マグマが運んできたマントル捕獲岩の構成鉱物の熱力学的解析からマントル物質がマグマに捕獲される前に存在していた場所の深さと温度とを知ることもできる．こうして求めたマントル捕獲岩に記録された温度―圧力条件はマントル物質の相転移から求められた曲線と大きく異なることはないので，マントル内部の温度分布はこの曲線で表されるとみなすことができる．

第6章

マグマ　その2：マグマの生成

　マグマの話から少し横道にそれたが，前章でマントルを構成する岩石や温度構造について述べたので，ここからはマントルペリドタイトが融解して初生マグマがつくられるのはどのようなメカニズムなのかを考えよう.

　図にはマントル内部の深さ方向の温度分布とペリドタイトの融解温度を示している（図29）. 地下深くになるにつれて，つまり岩石に加わる圧力が高くなるにつれて，地下温度もペリドタイトの融解温度も上昇している. 融解温度曲線は高温側と低温側の2本あり，温度が低い方の融解温度曲線（S）はソリダス曲線とよび，ペリドタイトがこの線上にあると，固体の岩石と少量のマグマ（メルト）が存在する. 高温側の融解曲線（L）はリキダス曲線とよばれ，これよりも高温側では完全な液体となる. このときにはじめて元の固体と同じ化学組成になるはずであるが，実際には部分融解でで

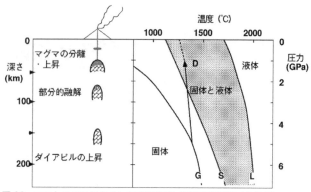

図 29 マントルペリドタイトの融解範囲と地球内部温度（曲線 G）

きたメルト量がある程度以上になると，メルトと固体の密度差のために互いに分離してしまうので，このような元の固体とまったく同じ組成のメルト（マグマ）が地球内部では発生することはほとんど起こらない．

また，この図からわかることは，岩石が融解するのは1本の曲線に沿ってではなく，2つの曲線で囲まれた幅広い温度・圧力範囲であることである．つまり，ペリドタイトが融けるということは，そのペリドタイトがこのソリダス曲線とリキダス曲線の間の温度・圧力条件に位置するということである．このように圧力が一定の条件でも，つまり同じ深さでも，融けはじめてから完全に融けてしまうまでには温度範囲があること，つまり部分融解の領域には温度幅があることが，初生マグマの化学組成に多様性が生じる原因の一つである．そのことについては後で述べる．

また，どの深さでも，つまりどの圧力でも，マントル内部

の温度（G）はペリドタイトの融けはじめの温度，ソリダスよりも低い．すなわち，マントル内部は基本的に固体状態にあることを意味する．地球内部のどこかに，大規模な融解領域すなわちマグマの大規模な溜まりが存在するわけではない．このことは，地震波による地球内部の観測からも支持される．

　地球中心にある金属からなるコアの部分を除いて，地震波の縦波も横波も伝わることが確認されている．もし，マントル内が大規模に融解しているとしたら，その部分では横波は通過できず，地表の地震観測では不感の部分ができるはずなのだが，そのようなものは見つかっていない．

マグマ発生の条件：減圧融解 VS 加水融解

　本来，固体のはずのマントル・ペリドタイトが融解して，マグマができるメカニズムはどのようなものであろうか．図には3つのケースが示されている（図30）．

　一見わかりやすいのはaのケースで，ある深さで岩石の温度が上がって，ソリダスを超える場合である．温度を上げるためには加熱が必要であるが，通常のマントル内にはこのような熱源はないので，マントルでのマグマ発生のメカニズムとしては特殊なケースに限られる．一方，地殻内でのマグマ発生を考える際には，この温度上昇を担う熱源としてマントルで生成された高温のマグマが存在するので重要なメカニズムとなるが，地殻内でのマグマ発生については後に述べる．

　実際のマントルでの融解のメカニズムとして最も重要なの

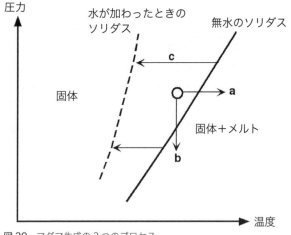

図30　マグマ生成の3つのプロセス

がbのケースで，深部の高温のマントル物質が固体のまま，その温度をほぼ保って圧力が低い，浅い所に移動すると，低圧でのマントル物質のソリダス温度を超えることになるため部分融解が生じる．減圧融解とよばれるメカニズムである．

　深部のマントル物質が浅所に移動するきっかけはマントル内の温度の擾乱である．対流運動のはじまりと考えてもよい．マントル内でたまたま周囲よりもいくらか温度が高い部分ができると，その部分は周囲に比べて密度が下がり，軽くなるので，浮力を得て浅所に向かって移動を開始する．

　上昇する部分が一定のサイズのペリドタイトの塊であるとき，この塊をダイアピルとよぶことが多い．このような一定サイズの塊としてではなく，連続した上昇流となるとプルームとよぶ．先に述べたホットスポット火山を生み出すのは，

マントル深くの高温部分から派生したプルームである.

　ダイアピルやプルームが上昇し, 浅い位置にくると周囲の
マントルペリドタイトとの温度差が拡大し密度差が大きくな
るので, さらに浮力を稼ぐことになる. 実際には, 浮力の原
因となる体積膨張によって若干温度は下がるものの, 移動を
開始したときの温度をほぼ保ちながら浅所に向かって移動を
続けるのである.

　こうしてある深さまで達すると, その深さ (圧力) でのペ
リドタイトのソリダス温度を超えることになるので, 一部が
融解してマグマ (メルト) が発生する. 融解でできたメルト
はペリドタイトよりもさらに密度が小さいため, メルトを含
むペリドタイト全体としてはさらに浮力を獲得して上昇を続
ける. 浅くなればなるほど, ダイアピルやプルームの温度と
ソリダスとの温度差はさらに大きくなるため, 部分融解の程
度が進み, ペリドタイト中のマグマ (メルト) の量が増え
る. このようなプロセスを図29の曲線Dと左側の模式図
に示した.

　図30のcのケースが加水融解とよばれるものである. ペ
リドタイトに水が加わると, 水がない状態に比べて数百℃,
ソリダス温度が低下する性質がある. このため, 水がない状
態では固体状態であった温度条件のペリドタイトに水が付け
加わると, ペリドタイトの温度は水が存在する場合のソリダ
ス温度よりも高温側にあることになるので, 融解が発生する.

　さて, マントルペリドタイトが融解して初生マグマが生成
されるメカニズムがわかったところで, 第1章で述べた3つ
のテクトニクス場, 海嶺, ホットスポット, 沈み込み帯での

マグマの生成について考えよう.

海嶺でのマグマの生成

　プレートが生産される場所では，マントル上昇流によって
運ばれた高温のペリドタイトが減圧融解してマグマを発生す
る．こうしてできたマグマが海底に噴出・固化して新しい海
洋地殻をつくる場所が海嶺である．

　このようにしてつくられる海洋地殻の厚さは世界中のどの
海域で測定しても驚くほど一定で6〜7 kmである．これは
一体どういうことを意味しているのだろうか？

　マントル物質の部分融解によってできるマグマは基本的に
は玄武岩マグマであるが，その化学組成は，温度・圧力によ
って変化する．これまでにペリドタイトについて，多くの高
圧融解実験が行われ，さまざまな温度・圧力条件でつくられ
るマグマの化学組成はかなりよくわかっている．したがっ
て，逆にマントルでつくられたマグマの化学組成がわかれ
ば，その生成の温度・圧力を推定することも可能となる．さ
らには，断熱的に上昇するマントルの減圧融解によってマグ
マがつくられるとすると，マントル対流が開始する温度条件
を推定することも可能である．

　このような発想に基づいて，世界中の海洋地殻の化学組成
から海嶺下でマグマが生成される温度・圧力条件を読み取る
という作業を行い，マントル上昇流の温度を見積もると，そ
の温度は地球上のどの海嶺でもほとんど同じであるという結
果が得られる．通常，マントル上昇流の温度はマントル物質
が融解点を超えても融解することなく断熱的に上昇をすると

考えた際の温度変化を地表圧力まで外挿して得られる温度で表現し，これをポテンシャル温度とよぶが，海嶺でのポテンシャル温度はどこでも1280〜1300℃だったのである．

　別の言い方をすると，同じような温度状況にあるマントル対流の上昇流によってつくられるから，世界中のどの海嶺で生産されるマグマも量はほとんど一定で，化学組成もほとんど一定となる．このために，海洋地殻の厚さも世界のどの海嶺でもほとんど一定となっているのである．

ホットスポットでのマグマの生成

　ホットスポット火山がプレートの運動から独立していることは第1章で述べたが，このことはホットスポット火山の下のマントル上昇流，すなわちマントルプルームの発生源はプレートの下面よりも深い，アセノスフェア・マントルであることを意味する．プレート内で発生するならば，ホットスポット火山はプレートと一緒に移動するはずで，プレートの運動とは独立であり得ないからである．実際にホットスポット火山のポテンシャル温度を推定すると，海嶺よりもはるかに高く，1350〜1450℃である．このことからするとホットスポット火山をつくるプルームの発生源は数百km以上の深さであると推定される．何らかの理由で周囲のアセノスフェア・マントルよりもやや温度が高くなった部分が浮力のため上昇をはじめたものと考えられる．

　このようなプルームが固いリソスフェア下部の深さに到達すると上方には流動できなくなり，リソスフェアの底に付加するが，その温度はこの深さでのペリドタイトのソリダス温

度を超えているために部分融解が生じてマグマが発生する．また，リソスフェアの下部のマントルも下に付加したプルームの熱で加熱され，部分融解が生じる場合もある．このようにしてつくられたマグマが混じりあってリソスフェアを突き抜けてホットスポット火山となる．

　世界で活発な活動を繰り返しているホットスポット火山を時代的にさかのぼると，ほとんどはさまざまな時代の，非常に大規模なマグマの噴出があった地域につながるようである．このような大量のマグマの活動は，大陸部で発見されていたことから大陸玄武岩とよばれた時期もあるが，最近では陸域だけでなく，海底にも海台とよばれる巨大な火山活動の痕跡があることもわかり，洪水玄武岩や大陸玄武岩という名称に代わって，大規模火成活動領域（LIPs：Large Igneous Provinces）とよばれることが多い．

沈み込み帯でのマグマ生成

　海嶺やホットスポットでは，マントル上昇流によって浅所にもたらされる高温の固体のペリドタイトの減圧融解によってマグマがつくられていることを学んだ．では，日本のような沈み込み帯ではどのようにしてマグマがつくられるのだろうか？

　ここで，沈み込み帯の地学的な状況を簡単に整理しておこう．海洋プレートが海嶺で生み出された後，延々と海底を移動している間に冷却し，冷たく重くなったために海溝からマントル中に沈み込んでいる場所が沈み込み帯である．

　沈み込み帯の横断方向の断面を見ると，斜めに沈み込むプ

レートの上盤側のマントルはくさびの形状をしているために，くさび状マントルとよばれることが多い．ここでもそのよび名を採用することにしよう．また，沈み込む冷たい海洋プレートのことをスラブともよぶので，このよび名も使うことにする．普通に考えると，このスラブに接するくさび状マントルは斜めに沈み込む冷たいスラブに接して冷やされるから，その温度は低くなるはずである．このように温度が低いはずのくさび状マントルをもつ沈み込み帯で，なぜ活発なマグマ活動があるのかということについては，プレートテクトニクスが大陸の移動や海洋底の拡大，巨大山脈の形成など多くの地学現象を統一的に説明できることがわかった 1970 年代はじめから，地球科学者の悩みの種であった．

　じつは，くさび状マントルは冷たいスラブによって一方的に冷却されているばかりではない．スラブの沈み込みによって，スラブ直上の冷やされたマントル物質は沈み込むスラブによって引きずり込まれるが，空いたスペースを埋めるようにくさび状マントルの深部の温かい岩石が上昇してくる，つまりくさび状マントルの中央部にマントル上昇流が入り込むことになる．このくさび状マントル内の高温域が沈み込み帯でのマグマ生成に重要な役割を果たすのであるが，通常の条件では，この高温域の温度ではマントル物質は融解できない．なぜならば，このマントル上昇流によってつくられる高温域の最高温度は 1300℃程度で，その深さ（圧力）ではマントルペリドタイトのソリダス温度以下だからである．

　しかし，この部分に水が供給される場合には事態は一変する．前に述べたように，ペリドタイトに水が加わると，ペリ

ドタイトのソリダス温度が数百度程度低下して，1000℃程度になるため，それ以上の温度の部分では加水融解によってマグマ（メルト）がつくられることになる．

　スラブのもととなった海洋プレートは海嶺で生み出される際にも，海水とマグマが反応して激しい熱水活動を起こすので，もともと一部に変質鉱物として粘土鉱物のような含水鉱物（水をOHとして含む鉱物）を含んでいるのだが，その後，海底下を年間数〜10 cmの速度で延々と移動する過程でも海水と反応して，蛇紋石や緑泥石，角閃石などの含水鉱物を含むことになる．

　このようなスラブが陸のプレートの下に沈み込んでいき，温度と圧力が増加してくると，含水鉱物は不安定になり分解して新しい鉱物に変わる．このときに余分なOHをH_2O，すなわち水として分離するのである．

　マントル内で水はその温度・圧力条件からして超臨界状態にある．それでもペリドタイトよりもはるかに軽いので，結晶の粒界を使って，くさび状マントル内を上昇することになる．この水が，くさび状マントル内の1000℃を超える領域に達すると，マントルペリドタイトの加水融解が生じて，微小量のマグマがつくられる．こうしてできたマグマと過剰な水とはさらに上昇を続け，マントル上昇流によってつくられた高温領域に達すると，含水ペリドタイトのソリダスよりもかなり高温であるため，比較的大量のマグマがつくられることになる（図31b）．

　この様子は最近の地震学の進歩によって，よくわかるようになった沈み込み帯の地下構造と整合的である．地震波トモ

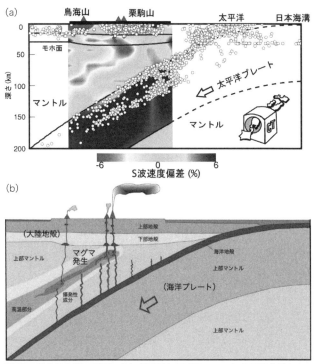

(a)

鳥海山　　栗駒山　　　　　　　　　　太平洋　　日本海溝

モホ面

深さ (km)

マントル

太平洋プレート

マントル

-6　　　　　　0　　　　　　6
S波速度偏差 (%)

(b)

（大陸地殻）　　　　　　　　上部地殻
　　　　　　　　　　　　　下部地殻
　　　　マグマ　　　　　　　　　　海洋地殻
上部マントル　発生　　　　　　　　　　上部マントル

　　　　揮発性
　　　　成分　　　　　（海洋プレート）

高温部分　　　　　　　　　　　　　　　　上部マントル

図31　沈み込み帯の地下．（a）地震波トモグラフィーによる東北日本の
地下構造，（b）マグマ発生のモデル

グラフィーの手法によって求められた，沈み込み帯のマント
ルの構造を地震波速度の違いという観点から眺めてみよう
（図31a）．

　くさび状マントル内部には，沈み込むスラブとほぼ平行に
地震波の低速度層が存在する．高温でやわらかいために，マ
ントルペリドタイト中の地震波速度が低速度となっていると

考えられる部分である．このような低速度層はスラブの沈み込みによって，より深部の温かいマントルが上昇してきた部分に相当するが，一部ではマントルペリドタイトの部分融解によってできたマグマ（メルト）を含んでいると思われる．固体のままの温度差だけではこれほどの低速度は実現できない．したがって，この構造はくさび状マントル内の単なる対流のパターンではない．上に述べた，加水融解によるマントルペリドタイトの部分融解の効果も重なっている．

　加水融解によって生成されたメルトを含むペリドタイトは固体のペリドタイトに比べて密度が低下するために浮力を得て，低速度域からダイアピルとして上昇をはじめるはずである．上昇途中で，浅所の比較的温度が低く固いマントル部分に達すると，ダイアピルとしては動きにくくなるが，液体状態でマントル物質よりも軽いマグマ（メルト）がダイアピルから分離して，単独でマントル内をさらに上昇する．

　残念ながら現在の地震波トモグラフィーでは，このようなダイアピルの動きまでは読み取ることはできない．トモグラフィーの解像度はダイアピルのサイズに比べれば粗すぎる．トモグラフィーに用いる地震波の波長は数百 m より長いので，それ以下の解像度は解析手法のよほどの革新がないと実現できない．

　沈み込み帯の火山はスラブが沈み込む海溝とほぼ平行に分布しているが，海溝のすぐそばには分布しない．このことは日本列島ではじめて指摘されたが，日本に特有なことではない．世界の沈み込み帯の火山に共通であることがわかっている．火山分布の海溝寄りの前縁を結んだ様子はちょうど天気

図の温暖前線や寒冷前線を思い起こさせるので，火山前線あるいは火山フロントとよばれることはすでに述べた．

　沈み込み帯のマグマの生成が，沈み込む海洋プレートから放出される水が原因であることから，火山フロントの形成に水の動向が関与していることは疑いない．沈み込み帯では海洋プレートがとぎれることなく沈み込みを続けるのであるから，くさび状マントルにはさまざまな含水鉱物の分解によって不断に水が供給される．こうして，くさび状マントル内部は常に水に飽和している状態がつくられることになる．ところが，実際に火山フロントが形成されるのは，沈み込んだスラブの上面の深さが 110 km 前後に達するあたりである．

　1980 年代には，火山フロント直下のスラブの深さが 110 km 程度で，世界のどの沈み込み帯でも共通であるとみなされたので，スラブ内の含水鉱物である角閃石が分解することで生じる水がくさび状マントルに供給されることにより火山フロントが形成されると考えられた．角閃石の分解反応には温度がほとんど影響せず，110 km の深さに相当する約 3 GPa の圧力で分解して，ほかの含水鉱物と比べても多量の水を放出することが知られていたからである．

　しかし，その後さまざまな島弧で火山フロント直下のスラブ上面の深さを詳しく調べると，決して 110 km に限らず，幅広い深さであることがわかった．このことから火山フロントは沈み込むスラブからの水の供給が本質的であるが，適当な高温条件が火山フロント直下のマントルに存在する必要があることがわかる．つまり，火山フロントの位置はくさび状マントル内のマントル上昇流との位置関係と水の供給との兼

ね合いで決まると考えられる.

マントルのマグマから火山へ

　ペリドタイトに含まれるスピネルやガーネットなどのアルミニウムに富む鉱物は圧力の変化に応じて別の種類の鉱物に変化することは先に述べたが,ペリドタイトの主要な鉱物であるカンラン石は広い圧力の範囲で安定である.カンラン石は $(Mg, Fe)_2SiO_4$ の組成で表され,かつ $Mg/Mg+Fe=0.9$ 程度で一定の組成をもつ.しかも,この鉱物はペリドタイトの70％以上の割合を占めるため,ペリドタイトが部分的に融けて生成されるマグマの $Mg/Mg+Fe$ 比は部分融解の程度が少々変わったとして,ほぼ一定の比較的狭い範囲を示すことになる.これはカンラン石とマグマとの間の鉄とマグネシウムの分配が温度や圧力の変化に敏感でなく,ほぼ一定であるためである.

　通常のマントルで見られるカンラン石と玄武岩マグマとの間の鉄とマグネシウムの分配は交換平衡の形式で表現すると分配係数,$Kd=(Fe/Mg)$ カンラン石 $/(Fe/Mg)$ マグマ $=0.3\pm0.03$ であることが知られており,$Mg/Mg+Fe$ 比が $0.87\sim0.92$ のカンラン石をもつマントル物質が部分融解してできるマグマの $Mg/Mg+Fe$ 比は $0.67\sim0.78$ 程度の値をもつことになる.このことを利用して,現在地表に噴出しているマグマが,マントル物質が融けて生成された初生マグマかどうかの判定に使うことができる.実際,海嶺でつくられた海洋地殻やハワイなどのホットスポット火山の玄武岩の場

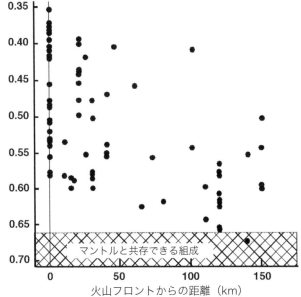

図32　火山フロントからの距離と玄武岩の組成

合，その Mg/Mg+Fe 比は 0.67〜0.78 に含まれるものが多い．しかし，日本列島の第四紀火山で見られる玄武岩マグマの化学組成を調べてみると，いずれも Mg/Mg+Fe 比が低く，マントル物質とは平衡にあり得ないことになる（図32）．すなわち，わが国で現在活動しているマグマの中には初生マグマは存在しない．

　日本列島のマグマのうち最も初生マグマに近い玄武岩マグマですら，先に述べたカンラン石とマグマの鉄・マグネシウ

ム分配から考えると，初生マグマから少なくとも30%以上結晶化が進んで，分化した組成をもっていると考えられている．

　では，なぜ沈み込み帯のマグマはホットスポットや海嶺の火山のマグマのように，マントルで生成されたときの化学組成を示さず，分化した組成をもつのだろうか．その理由はマグマの上昇過程にある．

マグマの密度とマグマ溜り

　マグマの密度はマントルの岩石に比べるとはるかに低い．マントルを構成する岩石の密度はほぼ $3300 \ kg/m^3$ とみなしてよい．一方，このようなマントルが融解して発生する初生マグマの密度は $2600 \ kg/m^3$ 程度であり，融け残りのマントル物質に比べてはるかに小さい．このため，部分融解の程度が小さい間はペリドタイトの結晶粒界にとどまっていたマグマも部分融解度が増大して一定量まとまると，浮力を得てダイアピル本体のペリドタイトから離脱して浅所に向かって移動する．

　海嶺にはほとんど地殻がないが，日本のような島弧や大陸では地殻部分が数十 km 以上あり，この地殻はマントル物質とは異なる化学組成，したがって異なる鉱物組成の岩石でつくられている．地殻の岩石は下部はガブロ（斑レイ岩），上部は花コウ岩質岩石で代表させることができる．つまり，地殻は密度の異なる2種類の岩石から構成されており，マントルと地殻の境界であるモホ面は，カンラン石を主体とするペリドタイトと斜長石を多く含むガブロとの境界である．この

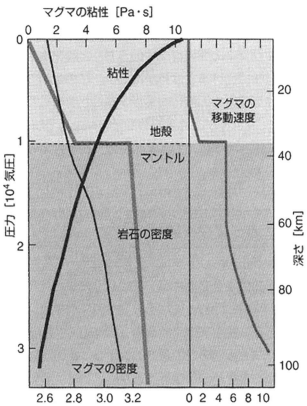

図33 マントルと地殻内でのマグマ移動速度の違い

ため，モホ面を境にマグマの周囲の岩石とマグマとの密度差が大きく変化することになる（図33）．

　玄武岩マグマの密度，粘性とマントル・地殻の密度分布の関係を見ると，マグマの密度はマントルペリドタイトより小

さいので，マントル内では大きな浮力をもつことになる（図
33）．マグマの密度は地殻下部の岩石よりも小さいが，マン
トルペリドタイトとの差に比べると非常に小さい．このた
め，地殻下部でのマグマの浮力はマントル内と比べると非常
に小さくなる．

　浮力で上昇するマグマの速度はマグマと周囲の岩石との密
度差に比例する．したがって，マントルのペリドタイト中を
浮力で上昇するマグマの速度は地殻内を上昇するマグマの速
度に比べて大きい．このため，マントルペリドタイトの融解
によって生じたマグマがマントル内を定常的に上昇している
とすると，モホ面では下から供給されるマグマ量がモホ面を
通過して地殻内を上昇するマグマ量に比べて大きいことにな
る．このため，モホ面付近にはマグマが次第に蓄積すること
になる．つまり，マントルでのマグマ生成が続く限り，モホ
面付近にはマグマ溜りが形成され，それが成長することにな
る．

　モホ面近くで停滞するとはいえ，マグマの密度は下部地殻
の物質よりは軽いので，マントル内に比べて浮力は小さいも
のの上昇を続ける．しかしながら，地殻の中部・上部を構成
する花コウ岩類の密度は地殻下部のガブロに比べて小さく，
上昇してきたマグマとほぼ同等かあるいはそれよりも小さ
い．このため，通常の状況ではマグマは浮力を失って，上昇
が止まり，この付近にマグマが蓄積してマグマ溜りをつくる
ことになる．この深さは火山の下の地殻構造によるが，通常
はほぼ 10 km 前後である．

　マグマの停滞が起こるモホ面や地殻内部のマグマ溜りの周

辺の温度はマグマよりは低い．したがって，長らく停滞すると，伝導によってマグマ溜りの熱が奪われ，徐々にマグマの冷却が進むので，マグマ溜り内での結晶化が生じる．マグマの結晶化の進行によって，残りの液体部分（メルト）の化学組成は変化を続ける．こうして，このプロセスでもマグマ（メルト）の多様性は生まれる．また，この地殻内部でのマグマの停滞が噴火に至る大きな要因ともなる．

マグマの結晶化とマグマの組成変化

　マグマがマグマ溜りで停滞している間に周囲から徐々に冷却して，マグマの温度が下がって，メルトのリキダス温度以下になると固体の結晶が晶出する．マグマから晶出する結晶は圧力や温度の違いによって，さまざまな化学組成のものがあるが，最大の特徴は結晶の化学組成はマグマそのものの化学組成とは異なることである．しかも結晶は元素比において規則性がはっきりしている．

　たとえば玄武岩マグマから結晶化する鉱物として最も普通なものとしてカンラン石があるが，この化学組成は $(Mg, Fe)_2SiO_4$ で表現される．つまり，マグネシウムと鉄を合わせたものはシリコンの2倍なのである．したがってマグマからカンラン石が晶出すると，残りのメルト（マグマ）の (Mg, Fe) とシリコンの比は結晶の組成から離れる方向に変化する．

　もし，析出した結晶が順次取り去られれば，次々と異なる組成のマグマ（メルト）が生み出されることになる．このプロセスを結晶分化作用といい，かつてはマグマの多様性を生

み出す主要な原因と考えられた．今でもマントル物質と平衡にはあり得ないような低い Mg/Mg＋Fe 比をもつ玄武岩は初生マグマからの結晶分化によってつくられると考えることが多く，また，玄武岩から安山岩やデイサイトマグマを導くプロセスとして重要だと考える研究者も多い．玄武岩マグマからカンラン石，輝石，斜長石を適当量取り除くと，安山岩マグマの組成をつくることが可能だからである．

　地殻のない海嶺で噴出するマグマからわかるように，マントルペリドタイトの融解によってできる初生マグマは玄武岩もしくはそれよりもマグネシウムに富み，シリカに乏しいピクロ玄武岩などのマグマである．ところが，日本のような沈み込み帯の火山で噴出するマグマの大部分は安山岩マグマやデイサイトマグマで，初生マグマに比べてマグネシウムや鉄に乏しく，シリカに富む組成をもっている．また，沈み込み帯では，先に述べたように，玄武岩マグマでさえ初生マグマに比べ低い Mg/Mg＋Fe 比をもち，マントルペリドタイトとは共存できない組成を示している．このようなマグマは初生マグマに比べて分化した化学組成をもっていると表現され，実際に初生マグマからの結晶分化作用によってつくられたと議論されることも多い．

　確かに化学組成の点では安山岩マグマやデイサイトマグマは玄武岩マグマからの結晶分化でできるのだが，このメカニズムでは玄武岩マグマに比べて安山岩マグマやデイサイトマグマの方が量的には圧倒的に多いという日本のような島弧の火山での事実の説明がつかない．玄武岩マグマの分化で安山岩マグマやデイサイトマグマがつくられたとすると，分化の

最終産物にあたる安山岩やデイサイトマグマは少量であるはずで，実際のマグマの量と整合的でないからである．このこともあって，最近では次に述べるようなマグマ混合が安山岩マグマをつくり出す有力なメカニズムと考えることが多くなった．

ところで，このような結晶分化によるマグマの変化で特徴的なことはマグマ中の水のような気体成分がメルト中に濃集することである．玄武岩マグマから結晶が晶出する際には通常，含水鉱物が晶出しないからである．このことが生成に水が関与する島弧マグマが爆発的な噴火を起こしやすい原因の一つとなっている．

ハワイやアイスランドで噴火の際に現場に接近できるのは，マグマ生成に水が関与せず，もともと水の含有量が少ないため，爆発的な噴火となる可能性が低いからである．それでもマグマの結晶分化が進むと少量とはいえ，もともと含まれていた気体成分がメルトに濃集するため爆発的になることがある．2018 年のキラウエア火山の噴火で，一時期分化した安山岩マグマが噴出した際には爆発的になり，住民の一人が飛び散ったマグマの破片で負傷した．ところが，日本やインドネシアのような沈み込み帯の火山では，もともとマグマに含まれている気体成分の量が多いために，多くの場合，爆発的噴火を起こすことになる．

マグマ混合

結晶分化以外でマグマの多様性を生み出す有力なメカニズムとして，異なる組成のマグマの混じりあいが考えられてい

る．2種類以上のマグマが混合して別のマグマを形成することをいうが，最近では沈み込み帯に見られる安山岩マグマの大部分は玄武岩マグマとデイサイトマグマの混合によってできたと考えることが多い．その根拠として，①安山岩の斑晶鉱物には互いに平衡に共存できないような鉱物が含まれていること，②苦鉄質とよばれるより鉄やマグネシウムに富み，シリカに乏しい高温のメルトがより低温のデイサイト質のマグマとの接触によって急冷されたと考えると理解しやすい組織が見られることがあること，③安山岩の化学組成が玄武岩質のマグマとデイサイトマグマの2成分の混合によって形成される直線的な変化を示すことなどが挙げられる．

　たとえば，ほとんどのマグマには斜長石の斑晶が含まれているが，安山岩マグマ中の斜長石斑晶の化学組成の頻度分布を調べてみると，カルシウム（Ca）に富むものとナトリウム（Na）に富むものの両方が存在することがある．通常，Caに富む斜長石は比較的高温のマグマから晶出するものであり，Naに富む斜長石は低温のマグマから晶出する．このことから，もともと高温の玄武岩質マグマと低温のデイサイトマグマの2種類のマグマが存在しており，それぞれで斜長石斑晶を晶出していたものが互いに混ざり合って，中間組成の安山岩マグマを形成したが，一旦晶出した固体である斑晶がメルトと反応して完全に消滅することは起こらないので，2種類の化学組成の斑晶が残ったと考えるのである．

　もちろん，マグマの混合を証拠づけるのはこれだけではないが，マグマ発生から噴火に至る過程でマグマ溜りがつくられ，ゆるやかに冷却している最中に，下部からは時折，新鮮

な分化の程度の低いマグマが供給されることを考えると，マグマの混合は当然発生することが予想されるプロセスであり，近年多くの火山岩からその証拠が見つけられている．

　では低温のデイサイトマグマはどのようにしてつくられるのであろうか．先に述べたように玄武岩マグマからの結晶分化では量的に少なすぎる．

　マントルで生成される初生マグマの温度は通常 1200℃を超える．島弧ではこの初生マグマがマントル中を上昇し，地殻下部にまで到達して停滞し，マグマ溜りを形成するが，このマグマが地殻物質を部分融解させ，別種のマグマを生成するための熱源となりうるのである．

　下部地殻を構成するガブロの化学組成はマントルとは異なり，玄武岩に相当する．このガブロの地殻下部に相当する圧力でのソリダスは水が無い状態で 1000℃，水が存在すると約 800℃である．マントルで生成された 1200℃を超えるような玄武岩マグマはこの斑レイ岩を加熱し，部分融解を引き起こす熱源となりうる．モホ面近くに形成されるマグマ溜りの周辺の地殻物質が部分融解して，新たな組成のマグマが周辺に生成される．このメカニズムによって発生するマグマの組成は，源岩であるガブロ（玄武岩の化学組成）よりもシリカに富むデイサイトなどの組成をもつことになる．このようなシリカに富むマグマと熱源となった玄武岩マグマとの混合が起こると，中間的な組成である安山岩マグマがつくられる．これもマグマの多様性を生むメカニズムの一つである．

マグマ溜りの形状

これまでマグマ溜りでの結晶化のプロセスを述べてきたが，じつはマグマ溜りの形状はほとんどわかっていない．通常球状の模式図を書くが，これはかつてのマグマ溜りの痕跡と考えられる花コウ岩や斑レイ岩などの深成岩体の形状から想像したもので，現在のマグマ溜りの形状がとらえられたことはない．

地震波の減衰を利用してマグマ溜りのおぼろげな形状が推定されたことはあるが，正確な形状や大きさの把握はおぼつかない．理由の一つは，地震波の波長がマグマ溜りの大きさに比べて同程度か，はるかに長いことがある．地震波はメルトに富む部分と固体部分が接しているような境界では地震波の反射が起こるので，このことを利用してマグマ溜りの頂部の位置や形状を求めることはできるが，この手法でマグマ溜りの頂部の形状が求められた例は，ファンデフカ海嶺やトンガ海溝の西側のラウ海盆など，船舶を利用して縦横に地震波反射法による探査ができる海域のマグマ溜りに限られる．地震波トモグラフィーによるマグマ溜りの探査については後に述べる．

これまでの教科書ではほとんどのマグマ溜りは球状に描かれてきたが，最近では，むしろ地殻内に板状に多層に存在すると主張する研究者も多い．マグマ溜りが地殻の岩石との密度の釣り合いで形成されるとすると，板状の分布を取ることが普通であると思われるからである．

さらに最近では，地殻内にクリスタルマッシュとよばれる，比較的少量のメルトと多量の結晶が存在する領域があ

上部地殻

コンラッド
不連続面

下部地殻

地震学的モホ

マントル　　　　　　　　　　　　　　　　岩石学的モホ

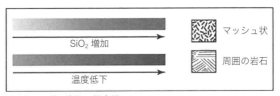

SiO₂ 増加

温度低下

マッシュ状

周囲の岩石

図 34　マグマ溜りの概念図

り，より深部から高温のマグマがこの領域に注入されると，一部で再溶融が生じてメルトが濃集した部分が形成されるとするダイナミックなマグマ溜り像も提唱されている（図34）．このようにして再溶融した部分からメルトが上昇して噴火に至ると考えるのである．火山噴火の源であるマグマ溜りが存在するのは地表から数〜数十 km 程度なのであるが，まだまだわからないことが多い．

第7章
火山を調べる

　火山を調べ，噴火のメカニズムや噴火の原因となったマグマの成因を探るためにはさまざまな手法が用いられる．地球科学の中の特定の分野に限ることなく，異なる幅広い分野からの検討があって，はじめて火山の全体像の理解が進む．このような調査研究は，噴火前の火山だけでなく，噴火がはじまった後も継続して行われる．

　一般に火山噴火は開始後も噴火の様子が変化し，それによって生じる災害の性格や影響範囲も変化する．火山噴火が発生すると，その後の推移を把握することがとくに重要となる．噴火が拡大しないかどうか，噴火の様式が変化しないかどうかなど，またいつまで続くと考えられるかなど，防災と直結した課題も多い．これらの推移の把握には火山を調べる方法が総動員される．

地下のマグマの動きを探る

　ここでは，地震観測や地殻変動観測といった，いわゆる物理観測によって噴火に至る過程を探ることがどの程度可能なのかを考えてみよう．

　一部の水蒸気噴火のように，マグマの移動を伴わずに，それまで比較的浅所で安定に存在していた熱水が，微小な圧力変化や温度変化によって不安定化して一挙に水蒸気に変化しようとして噴火に至るような場合は，地震計や傾斜計などの計器観測によっても予測することは極めて難しい．なぜなら，噴火の源となる熱水が数百 m～1 km 程度のごく浅い場所であるために，熱水の不安定化による地殻変動や岩盤の破壊に伴う地震などが生じても，極く短時間で噴火に至ってしまうからである．また，このような初期の変動は変化量がわずかで，かつ変動源が浅いため，噴火地点のごく近傍に観測点が配置されていないとそのシグナルを観測できないことが多い．

　マグマ噴火の場合，地下数 km ないし 10 km 付近にあるマグマ溜りから，900～1200℃程度の高温のマグマが地表に向かって移動してきて，噴火に至る．たとえば，100 万 m^3 のマグマを噴出する小規模な噴火の場合で，マグマの形状を球体と仮定すると，直径数十 m の物質が地下数 km 以上の深部から火口に向かって移動してくることになるので，その体積増加分，山体が膨張することになる．精密な地殻変動観測装置があれば，この山体の膨張を観測できる．また，マグマが移動するための新たに通路をつくるために，既存の地盤

を壊しながら上昇するので，多少なりとも地震の発生を伴う．ただし，常に噴火を繰り返し，火道が確立している場合には，新たに通路をつくる必要がないので地震はそれほど増加しない．また，液体状態の物質が割れ目を移動する際には，通常の地震とは異なり，周期の長い振動を引き起こす．

　マグマの動きを把握するためには地下の状態を探りたいが，光学的に「視る」ことはできないので，地震観測や地殻変動観測などの物理観測が主体となるのである．

　このために，火山の地球物理学研究の拠点として，火山のそばに火山観測所がつくられた．世界で最初につくられた研究者が常駐する火山観測所は，1841 年にイタリアのヴェスヴィオ火山に置かれた観測所である．次にできたのがハワイ火山観測所で，マサチューセッツ工科大学の教授であったトーマス・A・ジャガーが私財を投じて 1912 年に設立したが，1924 年にアメリカ合衆国の内務省所属の地質調査所に引き継がれ，現在に至っている．いずれの観測所も，後には地球物理学的観測だけでなく，地質学や地球化学の研究者による観測や調査の拠点ともなっている．

わが国の火山観測の歴史

　わが国で近代的な火山観測がはじまったのは 1910 年のことである．有珠山で 1910 年 7 月 19 日にはじまった地震活動に続いて，25 日夜には有珠山北部の洞爺湖畔に近い金毘羅山の北西で噴火がはじまった．当時帝国大学教授で，1880年の濃尾地震を契機につくられた震災予防調査会の幹事でもあった大森房吉は，この噴火開始直後の 7 月 30 日に伊達村

西紋鼈や洞爺湖畔の壮瞥村で地震計による観測を開始した．噴火中の火山に地震計を臨時に配置して観測を行ったのははじめてのことであった．この現地観測の最中に，世界ではじめて火山性微動の観測に成功した．

大森房吉は 1911 年に長野県の要請を受けて火口の南西約 2 km の湯の平に火山観測所を設立し，大森式地震計を使って火山性地震や噴火に伴う現象の研究を開始した．しかし，この場所は冬季には積雪があり，通年の火山観測には不向きであったので，大森没後の 1924 年以降は長野測候所追分支所に地震計なども移管され，観測も引き継がれた．後に気象庁軽井沢測候所追分分室となるが，2008 年浅間火山防災連絡事務所が佐久広域連合軽井沢消防署内に設置されたことに伴い，観測所としての歴史に終止符を打った．

大学の火山観測所としては，京都帝国大学理学部が 1928 年に阿蘇山に設置した阿蘇火山観測所が最初である．当時，阿蘇山が激しい爆発的噴火を繰り返していたことが，観測所設置のきっかけとなった．

浅間山では 1931〜32 年にかけて大きな噴火が多発したことから，軽井沢町は火山観測所設立をよびかけた．民間の寄付も得て，1933 年 8 月に火口の東約 4 km の峰の茶屋に観測所を設立して，東京帝国大学地震研究所に寄付した．帝国大学教授で地震研究所の所員でもあった寺田寅彦も観測所の開所式に参加し，そのときの模様を随筆に残している．1934 年には，後に地震研究所の所長になる水上武が赴任し，活発な火山活動の観測を通じて，ブルカノ式噴火の研究で世界をリードした．

1955 年 10 月 13 日に桜島南岳山頂で火山爆発が起こり，その後も噴火が頻発したために，京都大学防災研究所は1960 年に桜島火山観測所を設立し，連続観測を開始した．また，1959 年の霧島山新燃岳での噴火の後，1961 年には加久藤カルデラ内で群発地震が続いたため，1963 年に東京大学地震研究所が霧島山火山観測所を設置し，後に火山噴火予知連絡会の会長を務めることになる下鶴大輔を九州大学から招聘した．

1974 年から火山噴火予知計画がはじまり，以降はこの計画に基づいて大学に新たな火山観測所が設立されることになる．1977 年には北海道大学理学部に有珠火山観測所が設立されたが，まだ観測所も仮庁舎の状態で 8 月 7 日にはじまることになる有珠山噴火を迎えることになった．1984 年には伊豆大島にあった東京大学地震研究所の津波観測施設と地磁気観測所が統廃合され，伊豆大島火山観測所が発足し，有珠山 1977 年噴火の際に有珠火山観測所助手として噴火を経験した渡辺秀文を観測所勤務の助教授に迎えた．1986 年の伊豆大島噴火に際しては，住民の全島避難後も多くの観測研究がこの観測所を中心に行われた．

いずれの大学の火山観測所も外国の火山観測所とは異なり，設置時だけでなく，その後も一貫して地震観測や地殻変動観測といった物理観測を主体とするものであった．1985 年になって地球化学的手法を中心とするはじめての観測所として，東京工業大学の草津白根火山観測所が設置された．当初は現地観測所に所属する研究者 3 名はすべて地球化学研究者という特異な観測所であったが，最近では地球物理学研究

者が増えて地球化学研究者は1名のみとなっている.

　このように,火山活動の活発化を受けて,あるいは活発化が予想されて,大学の観測所の設立が行われてきたが,最近では人員削減の影響を受けて,また,観測データの伝送技術の進展もあって,観測所が無人化するケースが増えている.2022年時点で研究者が常駐する火山観測所は東京工業大学草津白根火山観測所,九州大学島原地震火山観測所,京都大学阿蘇火山観測所,京都大学桜島観測所の4か所だけである.島原地震火山観測所には雲仙普賢岳1990〜95年噴火の時期には5名の研究者が常駐していたが,現在は1名のみである.東京大学地震研究所の伊豆大島,浅間山,霧島山の各観測所の観測データはリアルタイムで研究所に送られるものの,すでに無人の施設となっている.有珠山2000年噴火の際に観測と住民対応で注目を浴びた北海道大学の有珠山観測所も無人施設となっている.

　上に述べたように,わが国の火山観測は地下のマグマの活動を観測によってとらえるということを主眼として設立されたという経緯があるので,世界のほかの火山観測所とは大きく異なる点がある.それは,地震や地殻変動,電磁気といった物理観測が主体で,火山の噴火の履歴や頻度,噴出物の化学組成を調べるための地質学的・岩石学的手法が欠けている点である.火山ガスなどを取り扱う草津白根火山観測所は例外的で,地球化学的手法もほとんどの観測所では採用されていなかった.

　一方,アメリカやイタリア,インドネシアなど諸外国の火山観測所は地震や地殻変動などの地球物理学的観測のほか

に，地質学的，地球化学的な調査・研究を行うスタッフが常駐し，火山学の広い研究分野をカバーしている．わが国では草津白根観測所を除き，伝統的に地球物理学分野以外のスタッフが観測所で採用されたことはない．

このような伝統は気象庁による火山監視にも引き継がれていて，地震と地殻変動や地球電磁気などの計器観測は行うが，ごく最近まで，噴火が発生してもどれだけの量の火山灰や溶岩が噴出したかを自ら調査することはなかった．大学や産業技術総合研究所（産総研）の地質研究者が自発的に調査をして，火山噴火予知連絡会を通じて報告するのを待つのであった．しかし，最近では気象庁も地球化学的手法を用いた火山ガス観測にも注力するようになっている．

地震波で大地の揺れを測る

静穏期を挟んで噴火を繰り返す火山の場合，地震の発生に一定の規則性があることが知られている．

静穏期から活動期に向かう際には通常，火山性地震の活動が活発化する．この火山性地震の活動がピークを過ぎると，低周波地震や微動が観測されるようになり，噴火に至る．噴火時や噴火後もしばらく地震活動が生じるが，やがてその規模や頻度が下がり，ふたたび静穏期に至るという推移モデルがある（図35）．このモデルがそのまますべての火山に適用できるわけではないが，定性的には火山活動の推移を表現したものであり，火山観測で地震の観測が大きな部分を占める理由の一つである．

地震の観測には地震計が用いられる．地震計にはいくつか

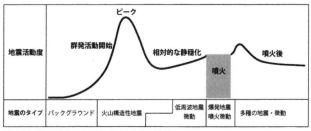

図35　地震活動から見た火山活動の推移モデル

のタイプがあるが，短周期地震計は0.1秒から1秒程度の比較的短い周期の揺れを測定できる．広帯域地震計は0.1秒から数百秒程度の広い周期帯の揺れを記録できる．

　微小な信号をとらえるために地震計の感度を高めるとノイズの影響を受ける．たとえば，地表付近に地震計を設置すると，周囲の樹木が風で揺れるだけで，ノイズ信号が大きくなり，かえって微小な地震は判読できない．また，登山道の近くだと，登山者やハイカーが通るだけで，大きなノイズとなる．このため，精密な観測は夜間だけに限定したり，風が弱いときだけを狙うか，可能な限りボーリングによって地中に100 mないし200 m深さの穴を掘り，その底に短周期地震計や傾斜計などのセンサーを設置する．地表付近のノイズを軽減して，連続観測を可能にするのである．

　火山地域で生じる地震を火山性地震とよぶが，一部の特殊な例を除くと地震の波形や周期が通常の地震と異なるわけではない．P波とよばれる比較的振幅の小さい揺れに引き続き，伝搬速度の遅いS波のやや大きな振幅の波が継続する．このようなP波，S波のはっきりした地震を火山観測の分野

ではA型地震あるいはVT（Volcano Tectonic）地震とよぶ.

　A型地震は岩盤の破壊によって生じる通常の地震であるが，このような地震の震源が時間とともに浅くなるような場合は，マグマの上昇に伴って通路を作成しつつある可能性があることから注意が必要である．たとえば，1990〜95年の雲仙普賢岳噴火では，1990年の噴火開始前に震源が半年ほどかけて深さ20 kmほどの深さから山頂近くまで移動してくる様子が観測された．

　火山性地震の震源移動は，1989年の伊豆東方沖海底噴火の際にも認められた．静岡県伊東市の沖合では1970年代からしばしば群発地震が発生していたが，1989年以前には群発地震のみで噴火に至ることはなかったため，1989年7月はじめにはじまった群発地震活動もそれまでと同様の活動とみなされた．しかし，7月10日頃から低周波地震や微動が観測されるようになり，7月13日には大振幅の火山性微動が発生，その日の夕刻には海底噴火が発生した．この噴火に先立って，それまで深さ8 km程度に集中していた地震が噴火直前には深さ2 km付近にまで急速にその深さを変化させていたことが，噴火後に行われた地震活動の詳細な解析から判明している．残念ながら当時はリアルタイムで震源の浅所移動が把握されたわけではない．

　火山性地震の震源移動がマグマの移動と関係していることが直接観測された例もある．アイスランドのクラプラ（Krafla）火山の1975〜82年の噴火では，噴火のたびに震源移動が何度も観測された．1978年7月の観測例が最も顕著であるが，カルデラの北端にはじまる地震の震源が，最初の

9時間では時速1.6 kmで北方に移動し，その後移動速度は若干遅くなったが，最終的には約1日で25 kmを移動した．1977年の9月8日にも同様の震源移動が観測され，このときには南に向かって時速2.5 kmで移動したが，震源の移動先に，たまたま深さ1 kmの地熱蒸気採取用のパイプが設置されていたため，このパイプを新たな火道として使って，パイプからスコリアが噴出した．人工の「火道」を使った噴火が発生したのである．この事実によって，クラプラの活動期に見られた震源移動がマグマ移動によるものであることが確認された．

　もちろん，噴火前に必ずこのような震源の移動が見られるわけではない．たとえば，日常的に噴火を繰り返す桜島では，そもそも地震の発生が少ない．これは地下6 km程度の深さにあるマグマ溜りから山頂火口へのマグマの通り道が確立しており，新たに通路をつくる必要がないからだと理解できる．しかし，しばらく噴火活動が低下した後で，活発な活動時期に移行する際にはA型地震の浅部への移動や，次に述べるB型地震の発生がみられる．

　B型地震はS波が明瞭でないものをさす．B型地震は体積膨張を伴って発生することから，マグマが浅所に移動することによる減圧効果によって，マグマ中に発泡が生じて発生すると考えられている．このB型地震は，波長の長いBL型と波長の短いBH型に区分され，桜島に限らず一部の火山では噴火前の出現比率が噴火の直前予測の手掛かりとして利用されている（図36）．

　また，P波，S波の区別がはっきりしない低周波の振動の

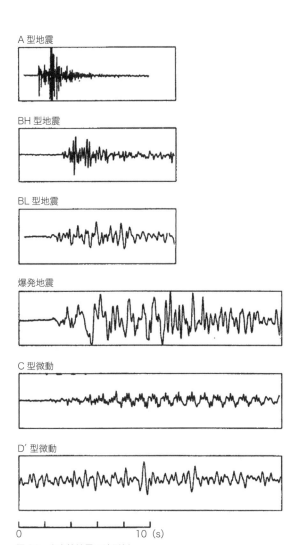

図 36　火山性地震の波形例

うち，数十秒以上継続するものを微動とよんでおり，噴火の直前や噴火中に見られることが多いことから，火山監視の上では重視される．ただし，微動が発生しても噴火に至らない例も多く，決定的な決め手になるわけではない．

周波数が比較的長い地震を低周波地震とよぶが，マグマや火山ガスなどの流体の移動に伴って発生すると考えられることから，火山監視上では重要な地震である．

低周波地震は数 km 程度の比較的浅い部分で生じるものと，10 km 以上の深さで生じるものがあり，深い場所で発生する低周波地震を深部低周波地震とよぶ．

深部低周波地震は西南日本で沈み込むフィリピン海プレートに沿っても普遍的に見られることから，火山に特有の現象ではなく，地下深部での水などの流体の移動に関係して発生する現象であると考えられ，火山地域ではこの流体がマグマやマグマに由来する流体である可能性がある．

噴火未遂の例として有名な 1998 年の岩手山噴火危機に先立って，深部低周波地震が深さ 30 km で観測されたことから，マントルから地殻下部へのマグマの注入とみなされる場合もあるが，より浅いマグマ溜り付近でのマグマなどの流体の活動の活発化を示すものと考えられる場合がある．

箱根山で，2015 年の噴気活動の活発化から噴火に至る過程で，地下 12 km 付近で深部低周波地震の活発化が生じたことから，地下のマグマ溜り付近での流体移動の活発化が地表での噴気活動の活発化や噴火をもたらす原因となったと考えられる．

富士山での連続的地震観測は 1980 年代から行われてきた

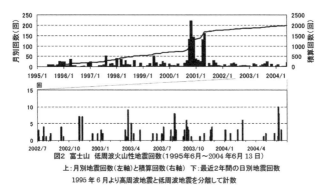

図2 富士山 低周波火山性地震回数（1995年6月〜2004年6月13日）
上：月別地震回数（左軸）と積算回数（右軸） 下：最近2年間の日別地震回数
1995年6月より高周波地震と低周波地震を分離して計数

図37　富士山の深部低周波地震の活動

が，山頂の東北東5 km付近の直下15 kmほどの深さで，深部低周波地震が1か月に数回程度発生することがわかっていた．ところが，2000年11月〜2001年5月にかけて，1か月に数十回以上発生し，一時は200回を超える活動が続いた（図37）．このため，富士山の地下ではマグマあるいはマグマ性の流体の活動が続いていることが改めて認識され，富士山の火山防災対策が急速に進展するきっかけとなった．

地殻変動からマグマの圧力増加や蓄積状況をさぐる

　マグマが地下深部で蓄積し，体積が増したり，圧力が高まると，マグマの上部の地表がわずかながら膨らむことになる．あるいは，マグマが地表に向かって移動してくる場合も，地表をもち上げることになるので，やはり地表が膨らむことになる．

　山体の膨張や収縮に伴う，地盤の上下変動を測定する手法として最も精度が高いのは水準測量である．水準測量では

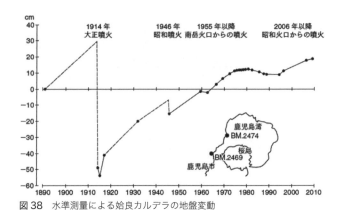

図 38 水準測量による姶良カルデラの地盤変動

「レベル」と通称される水準器を用い，地面に埋められたベンチマークとよばれる水準点間の高度差を測定し，以前の測定結果からの変化量に基づいて地殻変動量を求める。

　桜島ではこの手法により，地下 10 km の深さにあるマグマ溜りに，1914 年の大正噴火直後から，ほぼコンスタントにマグマが注入される様子が長年にわたって観測されている（図 38）。2022 年現在，1914 年噴火で放出したマグマ量が 9 割以上復活している様子がわかっている。

　この事実から，火山というものは，噴火が停止した直後から地下にマグマ蓄積を続けることがわかる。あるいは，火山の下では，噴火時あるいは噴火休止期を問わず，マグマ溜りへのマグマ供給が続いていると考えるべきかもしれない。同様のことが 1983 年の三宅島噴火や 1986 年の伊豆大島噴火の後の地殻変動観測でも確認されており，マグマの化学組成に関わらず共通のことである。

このように考えると，世界の火山噴火の統計的解析から得られた火山噴火の特徴，すなわち火山爆発指数が 5 を超える巨大噴火の大部分は噴火前の休止期間が 100 年以上であり，休止期間が 10 年以下のものはほとんどないが，火山爆発指数が 4 以下の火山は，噴火前の休止期間が 100 年以下の場合が多いという事実も理解できる（図 39）．どの火山も常にマグマ溜りへのマグマ供給が続いていて，噴火前の休止期間が長いと，たくさんのマグマ蓄積があるために大噴火になりやすいと考えることができる．しかし，小噴火がいかに頻繁に生じたとしても，それによって解消されるマグマ消費は微々たるものであるので，小噴火が頻発する火山では大噴火は起こらないということもいえない．

　火山地域での大地の動きは，地表での水準測量以外にも地下に埋められた傾斜計や山腹の坑道内に設置された伸縮計，水管傾斜計などによって観測されてきた．水準測量の精度は高いが，多大な労力と時間がかかることから，地殻変動の連続観測として用いることはできないのに対し，これらの計器観測では連続的に地殻変動を測定できるからである．傾斜計には縦穴に設置するタイプと横穴に設置するタイプがある．傾斜計は 0.1 秒から数日程度の地殻変動をリアルタイムで観測可能で，数ナノラジアン程度の精度である．なお，1 ナノラジアンは 100 km 先が 0.1 mm 変化した角度に相当する．

　桜島では島内の 3 か所に水平なトンネルが掘られ，精密な伸縮計や傾斜計が設置されている．桜島火山は毎年数百〜数千回程度噴火を繰り返す，世界でも有数の活発な火山であるが，地下 6 km 付近にあるマグマ溜りと山頂火口との間のマ

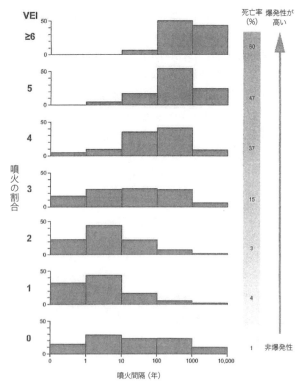

図 39　噴火前の休止期間と噴火規模の関係

　グマの通り道，火道が確立している．このため，噴火前に地震があまり増えることはないが，山体がごくわずか膨張する．この膨張を伸縮計や傾斜計がとらえるので，噴火の9割以上はあらかじめ発生を予測できる．もっとも，数万回の噴火をこの計測システムによって観測してきた経験から，膨張がはじまって数時間で噴火に至ることが多いことがわかって

いるので，このような予測が可能であるが，時には膨張が数時間で解消されず，数日以上続いた後に噴火に至ることもないわけではない．つまり，日常と異なるタイプの噴火が起こるときには，その活動の高まりを把握できても，いつ噴火に至るのかを予測することは困難であることになる．

また，霧島山新燃岳 2011 年 1 月 26 日にサブプリニー式噴火を開始した際には，事前には前兆とみなせる現象はとらえなかったものの，噴火の瞬間にマグマ溜りのマグマが火口から噴出したためにマグマ溜りが収縮する様子が，地殻変動としてとらえられた．山頂の北西 20 km の地点伊佐観測所に設置されていた伸縮計で，深さ 9 km ほどの位置にある新燃岳のマグマ溜りが噴火によって収縮する様子が伸縮計の伸びとして見事にとらえられたのである（図 40）．このように地殻変動観測によって，マグマの蓄積に伴う圧力増加などによる山体の膨らみやマグマの噴出によるマグマ溜りの収縮をとらえることができる．

最近では，人工衛星を利用した観測も活用される．その一例が GPS 観測（最近では GNSS 観測とよばれる）であり，観測点の位置が人工衛星によって正確に求まることから，2 点間の距離の変化を測定できる．マグマの活動によって地表が膨らめば，火山を挟む 2 点間の距離が伸びることになるので，マグマ溜りの膨張やマグマの上昇をつかむことができる．

人工衛星からマイクロ波を照射して得られる合成開口レーダー（SAR）の二回の観測データの差を取ることを干渉 SAR 解析（InSAR）とよぶが，異なる 2 時期の間の地殻変動量を

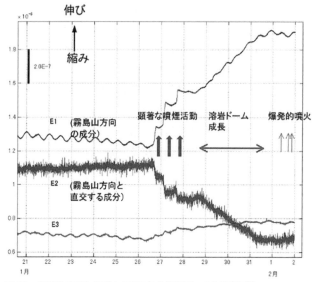

図40 新燃岳2011年噴火の際の伊佐観測所での伸縮計記録

二次元的に観測できるので，噴火の開始場所などの推定には
有効な方法である．2015年6月の箱根大涌谷の噴火の前に
は，直径200m程度の領域が最大30cmほど膨れる様子が
InSARによって観測された．地下の水蒸気圧の上昇を反映し
たものと思われる．マイクロ波は雲を透過するため，合成開
口レーダーによる観測は天候に左右されず，また太陽光を用
いないことから昼夜を問わない点が大きな利点である．ただ
し，人工衛星の軌道の関係で観測には現状で11日間程度の
間隔が生じる点が難点である．このような欠点を補うために
は航空機に合成開口レーダーを搭載して行う航空機SARや

174

地形的に設置可能であれば地上型 SAR を併用することも重要である.

重力の変化からマグマを探る

　地球上の重力は足下の質量の大きさとその質量からの距離に応じて変化するので，地下でマグマが移動する際には重力は一定でなくなる.　したがって，微小な重力変化を測定することによってマグマの移動を把握できる.　もちろん，マグマが地表に近づくにつれて，地殻変動も生じるのでこの効果も補正する必要がある.

　重力測定によってマグマ移動をとらえた例として浅間山 2004 年噴火の際の観測がある.　9 月 1 日に噴火がはじまった後で，標高 1406 m の東京大学地震研究所浅間火山観測所に絶対重力計とよばれる高精度の重力計が設置された.　浅間山では 9 月 1 日の噴火に引き続いて 11 月まで断続的に噴火が続いた.　これらの一連の噴火で，噴火に至る過程で重力が着実に増加するが，ある時点で重力が下がりはじめて，やがて噴火に至ることが観測された.　浅間山の火道をマグマが地下から上昇をはじめ，1406 m の高度に近づくにつれてマグマによる引力によって重力が増加するが，さらに 2568 m の山頂に向かって移動を続けると，今度は高い位置のマグマによる引力のために観測所での重力は減少を続けることになる.　このことを利用すると，観測所での重力が減りはじめてからどのくらいたつと噴火に至るかを予測できることになる.　もちろん，このような好結果が得られたのは，当時晴天が続いていたからである.　降雨などがあるとそのため地下水位に変

化が生じるため，重力値が乱れることになるので，地下水の補正などが必要になり，このような明瞭な結果を得ることは困難である．

火山ガスでマグマの上昇を探る

マグマ中には気体成分が含まれている．主要成分は水であるが，そのほかに二酸化炭素，二酸化硫黄，塩素などさまざまな成分が含まれている．これらの気体成分は地下深くではマグマ中に溶け込んでいるが，それぞれの成分のマグマ中へ溶け込める量はマグマの組成にもよるが，主に圧力によって決まっている．

噴火に向けてマグマが浅い場所に移動すると，マグマに加わる圧力が減少するため気体成分がマグマ中に溶け込めなくなり，マグマ中の気泡となって析出する．このような気泡はマグマよりもはるかに軽いので，マグマ中で浮き上がろうとする．上昇速度はマグマの粘性によって異なるものの，最終的にマグマから抜け出し，気体として地中を拡散したものが火山ガスとなる．個々の気体成分のマグマからの析出度は圧力によって異なるため，火山ガスの成分比や量はマグマが地表に近づくと変化する．このことをとらえることによって，マグマが浅い位置まで到達しているかどうかを判断できる場合がある．たとえば，CO_2/Cl 比や SO_2 量の増加などである．

なお，海洋島の火山などで火山ガスの活動が活発化して，地下から海中に火山ガスが漏れ出すようなことがあると，海水と反応して非常に細かな化合物がつくられる．化合物の粒

径があまりに細かいので、海中に沈殿することなく、潮に乗って拡散することになる。このような部分を地表や空から眺めると、海水の色が変化しているため変色水という。海底火山や海洋島の火山の活動を監視する際の有効な手掛かりとなっている。

磁力の変化で地下の温度上昇を探る

　地球上の岩石は地球全体の磁場によって磁化されているが、もし岩石の温度が上昇すると磁力が低下し、キュリー点温度（磁鉄鉱の場合、550℃）を超えるようなことになれば磁力を失う。したがって、マグマが上昇し、その高熱によって、あるいはマグマから分離した高温の火山ガスによって周囲の岩石が温まるような事態が生じる場合、地表で磁力観測を行っていると、全磁力が下がってくる様子が観測される。地下の一部が高温のために磁力を失うと、地表で観測する磁力計には全磁力の減少として現れるからである。このように全磁力観測を地下の温度観測の手法として活用し、マグマの浅所への移動や活発な火山ガス活動を把握することができる。

火山の構造を調べる

　火山の地下の地震波速度構造は火山性地震の震源位置を正確に把握するためにも重要である。火山の周辺に配置した地震計で観測した地震の波の伝わり方（走時曲線）を使って震源の位置を求めるためには、地震波が伝わる経路の地震波速

度の構造がわかっている必要があるからである．一般的な速度構造モデルを使って震源を求めた場合には，深さの精度は数 km 程度になるので，マグマの動きを知るための震源移動の把握はおぼつかない．

また，地面は光や電波を通さないので，火山の下のマグマ溜りなどを把握するためにも，地震波を使った地下構造の探査が必要である．

通常，知りたい断面に沿って地表に多数の地震計を設置し，側線上のいくつかの地点で，ダイナマイトによる人工の地震を発生させる．この人工震源から発生した地震波の伝わり方を調べて地下の地震波速度構造を調べるのである．ただし，人工地震を使った透過法とよばれる手法では数 km 程度の深さまでの構造しかわからない．地表近くでダイナマイトを爆発させても爆発のエネルギーが十分でないためさらに深部の構造を求めることは困難なのである．このため，通常使われる透過法とよばれる探査法では火山の下にあるマグマ溜りを把握することは困難である．

同じ人工地震を使った方法でも，反射法とよばれる方法で解析するとより深部の情報を得ることもできるが，マグマと周辺の岩石のように速度構造が著しく異なるケースには使えても，地下の速度構造を詳細に把握することは容易ではない．

さらに深部の構造や三次元的な構造を調べるためには自然地震を使った，地震波トモグラフィーという解析が用いられる．これは観測データから未知の量を推定するインバージョンという手法に基づくものである．たとえば火山の地下深く

にあって，液体であるマグマ（メルト）を含むマグマ溜りを
通過する地震波は，ほかの地震波に比べて少し遅れて観測点
に届く．もちろん，ほかの地震波に比べて遅れて届いたとい
うだけではマグマ溜りがその地震波が伝わってきた経路のど
こにあるのかはわからない．しかし，複数の場所で発生した
地震を面的に配置された地震計で観測すると，平均的なタイ
ミングで地震波の到着を観測する地震計もあれば，平均より
も遅れたタイミングで到着を観測する地震計もあることにな
る．平均よりも遅く到着する地震波が交差する付近に地震波
速度の遅いマグマ溜りが存在することが考えられる．数多く
の異なる震源から伝搬する地震波を，数多くの観測点に置か
れた地震計で観測することにより，地下の不均質に関する 3
次元構造を求めることができる．この手法を地震波トモグラ
フィーとよぶ．

　いわば，X 線を使った CT スキャン（断層撮影）と同様な
手法であるが，X 線の代わりに地震波を使用するのである．
ただし，決定的に違う点は，X 線 CT スキャンの場合には，
X 線の発生源と X 線センサーを身体の周囲に任意に配置で
きるのに対し，自然地震を用いるので，適切な震源を選びた
くても，短期間にそのような地震がたくさん起こってくれる
わけではないので，長い期間観測を継続して適切な場所で地
震が発生するのを待つしかない．それでも精度を高めるため
に必要な場所で都合よく地震が起こってくれるわけではな
い．精度の高い結果を得ようとすると長期間にわたる観測が
必要となる．たとえば，アメリカのイエローストーン火山で
は地下のマグマの状況をとらえるために 20 年間の地震観測

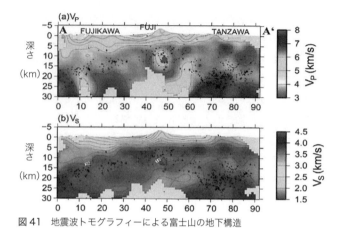

図41　地震波トモグラフィーによる富士山の地下構造

を行って，はじめて詳細な解析を行うことに成功した．

　先に示した日本列島下の地震波速度構造のトモグラフィーのように広い範囲の構造を求めるような場合は，分解能は数十km程度なので通常，地震調査研究などのために張り巡らされたHi-netなどの地震計の記録を用いることができるが，個々の火山の下の構造を調べようとするとはるかに密度の高い観測点配置が必要になる．

　このような例として富士山の地下構造を地震波トモグラフィーの手法で求めた例を示したが，一部に空白域が存在する（図41）．これは2年間，富士山周辺に臨時の地震観測点を数多く配置して観測を続けたが，この領域を通過するような地震波を観測できなかったことによるのである．富士山の下のマグマ溜りはこの空白部付近かそれよりも深い場所にある事が推定されるが，確実にとらえられたわけではない．

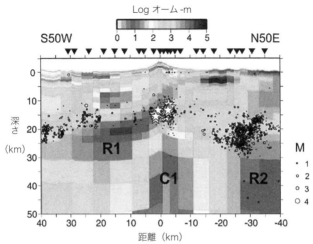

図42　MT法による富士山の地下の比抵抗構造．黒丸は通常の地震の震源位置，星印は深部低周波地震の震源位置

　地震波以外にも地下の構造を調べる方法がある．それが電磁気探査とよばれる手法である．

　大地にはさまざまな原因による微弱な電流が流れていて，これを地電流とよぶ．地電流は地磁気変化などの自然変化に伴って変化するが，地磁気の変化によってどのような誘導地電流が生じるかは地下の電気の流れやすさによるため，原因である地磁気変動とその結果である地電流変動の観測を組み合わせて，地下の電気的性質を推定できる．この手法は電磁気探査手法のうちでも地磁気地電流法（Magnetotelluric method，MT法）とよばれる．磁気センサーで磁場の変動を測定し，地中に埋めた電極間の電位差を測定する．その2つの測定値から地中の比抵抗を計算で求めることができる．

地球磁場の変動にはさまざまな周期があり，長周期成分ほど地下深くまで伝わるので，いろいろな周期の変動を測定すると，浅部から深部までの電気的性質を知ることができる．この手法で求められた富士山の地下の電気比抵抗構造によると，マグマ溜りが存在する領域に相当すると考えられる電気比抵抗の低い領域（C1）は 25 km より深い部分にのみ認められる（図42）．伊豆大島や桜島などの日本の通常の火山の場合，深さ 10 km 程度の深さにマグマ溜りが存在することが知られているのに対し，富士山の下ではマグマ溜りがはるかに深いと考えられている根拠の一つとなっている．

　MT法は，もっと浅い部分の構造推定にも威力を発揮する．最近，草津白根山や霧島硫黄山，箱根大涌谷など水蒸気噴火を起こしやすい火山でMT法による構造探査が精力的に行われた．これによると，地下 1 km 程度の比較的浅い場所に電気抵抗の低い部分があり，水蒸気噴火が発生する直前の地殻変動の圧力源はこの低比抵抗層の直下にあることがわかった（図43）．この結果から，低比抵抗層は水を通しにくい粘土層であり，これが地下のマグマから分離してきた気体成分の蓋になって，直下に熱水が溜まり，熱水が水蒸気化してその圧力が高まると，水蒸気噴火に至ると考えられる．

　最近では，これまでに述べたものとはまったく異なる手法が火山体の地下構造を調べるために用いられている．それがミュオグラフィーとよばれるミュオン透視法である．

　我々の周囲には宇宙線の照射に伴って無数の素粒子，ミュオンが発生している．この透過力は通過する物体の密度によって変化する．したがって，火山体を通過したミュオンの量

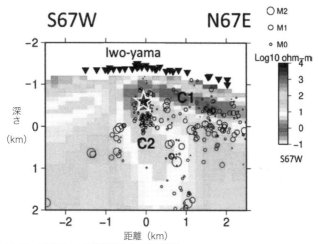

図43 MT法による霧島硫黄山の地下構造

を面的に測定することにより，ミュオンが通過した経路の密度構造の違いを知ることができる．たとえば，地中に空洞や周囲の岩石とは密度の異なるマグマなどがあれば，その分布を把握することができる．実際に，浅間山の噴火の前後での火口内部の密度変化をとらえ，火山観測の新しい手法として注目を集めている．

　ミュオンを使えば，地下のマグマ溜りを透視できるのではないかという期待がある．ただし，注意しなければいけないのは，岩石が1.4 km以上の厚さがある場合には，ミュオンはほとんど吸収されてしまうため通常の観測では密度差を認識できないことである．したがって，通常地下数 kmよりも深いところにあるマグマ溜りはどんなに頑張ってもミュオン

では透視できない．

　測定可能な岩盤の厚さが1.4 kmであるから火山の表面から数百m程度の深さまでなら透視できることになるので，ごく小規模な火山ではマグマの移動などをとらえる可能性がある．また，爆発的噴火に至る際の火道内での発泡現象などは把握できる可能性があるが，そのためには非常に短時間の観測で映像を取得できる必要がある．現状では火道内部の構造を把握できるには最低でも1週間ほどの通過ミュオンの観測の蓄積が必要であることから，現実的な手法となるまでには相当の技術革新が必要であろう．

火山噴出物からマグマ溜りの深さを調べる

　火山噴出物を調べると，マグマ溜りの深さや温度，マグマ溜りにおける気体成分の量を知ることができる．噴火の初期に噴出した火山岩を分析することによって噴火を引き起こしているマグマ溜りの情報を得ることができるし，長期にわたって噴火が継続するような場合には，噴出物を連続的に解析することによって，マグマ溜りの深さや温度がどのように変化するかも調べることができる．また，過去の噴火で，マグマの動きを含めた噴火推移が種々の計器観測によって記録されている場合の噴出物を調べて，噴火当時のマグマ溜りでどのようなことが起こっていたかを把握しておくと，将来の噴火の推移予測にも有用である．

　火山岩の項で述べたように，火山岩の斑晶はマグマ溜りで結晶化したものである．この斑晶鉱物とマグマ溜りのマグマ

（メルト）間の元素分配に関す熱力学的解析から，斑晶鉱物がマグマから晶出したときの温度，圧力を推定できる場合もある．もちろん地表の火山岩は完全に固結しているためにメルトは残っていないのだが，噴火直前までメルトであった部分は細粒あるいはガラス質の石基として固結しているため，この石基の組成がメルトの組成を代表するとみなすのである．このような手法は地質温度計，地質圧力計とよばれ，最近では通常の火山岩に含まれる鉱物に対して一般的に活用できる地質温度計，地質圧力計が数多く開発されている．

　ところで，これらの地質温度計や地質圧力計を適用するためには，マグマ溜りにマグマが存在したときの気体成分の量，とくに水の量を知ることが不可欠である．元素分配には，メルト中の水の量が大きく影響するからである．このため，マグマ中の水の量を推定する地質水分計も開発されている．斜長石の化学組成は晶出するメルト中の水の量に敏感なことから地質水分計には主に斜長石の組成が使用される．したがって，水分計，温度計，圧力計を組み合わせれば，斑晶鉱物を晶出したマグマ溜りの温度，圧力を推定できる．また，噴火の激しさを支配することになるマグマ中の気体成分，とくに水分量も知ることができる．

　かつてはこのような地質圧力計の精度はよくても 100 MPa 程度であり，地下深さに換算すると ± 数 km 程度の精度しかなかったが，最近はかなり改善され，±1 km 程度で求まる場合もある．この程度になると物理観測，とくに地殻変動データから推定されるマグマ溜りの深さの精度に匹敵するまでになり，噴火時の地下のマグマの様子を理解するための有

用な手掛かりを与えるまでになっている．

　マグマ中の水や二酸化炭素などの気体成分量を鉱物とメルト間の元素分配によらず独立に求める方法もある．斑晶中にはガラス包有物（メルト包有物ともいう）とよばれる，ガラスが含まれていることがある．このガラスは斑晶がマグマ溜りで結晶化する際に，周囲に存在していたメルトを取り込んだものであり，噴火時に冷却してガラスとして固化したものであるので，このガラス中に含まれる水の量を赤外分光計などで測定すれば，マグマ溜りにあったときのメルト中の水の量を直接知ることができる．

　なお，水だけでなく，ガラス中の二酸化炭素の量も測定すれば，この情報からマグマ溜りの圧力を求めることもできるので，斑晶鉱物とメルト間の元素分配による圧力計から求めた圧力と比較して，圧力推定の精度を高めることもできる．

　このように，岩石学的手法を用いたマグマ溜りの温度・圧力条件を推定する手法を適応するためには，測定した斑晶鉱物が本当にマグマ溜りで晶出したものであり，外来結晶ではないか，別の種類のマグマとの混合の影響を受けてメルトとの間の非平衡が生じていないかどうかの，詳細な岩石学的検証が必要なことはいうまでもない．

　これとは別に，噴出したマグマの化学組成のメルトについて，ピストンシリンダーや内熱式ガス圧装置などの高圧発生装置を用いて高温・高圧実験を行い，斑晶鉱物の組み合わせや化学組成を再現することによって，斑晶鉱物が晶出した条件を求めることもできる．しかし，実際にこの手法を適用しようとすると，数多くの温度圧力条件で実験を行う必要があ

り，多大な労力を要する．長年にわたって，このような実験的研究が世界各地で行われたので，これらの実験結果の熱力学的解析によってさまざまな組成のマグマから結晶の晶出プロセスを計算する手法が開発された．Melts プログラムとよばれるものが代表的であるが，改良を重ねた結果，任意の組成のマグマの，任意の圧力における結晶過程をかなりの精度で再現できるようになった．こうして手間のかかる高温高圧実験を行わずとも，計算機シミュレーションと実際の斑晶および共存メルトの化学組成の比較から，マグマ溜りの深さや温度などの条件を比較的精度よく推定できるまでになった．この手法を使えば，噴火噴出物の全岩や鉱物の化学組成から，迅速にマグマ溜りの温度圧力条件を求めることも可能になった．

　しかし，これだけでは十分ではない．マグマ溜りの圧力条件がわかったところで，火山体直下の岩石の密度構造がわからないと地下の深さに換算できないので，地球物理観測による地下での現象との対比も困難である．この意味でも，火山体直下の構造探査が重要である．

噴火の履歴を調べる

　火山にはさまざまな種類があり，個々の火山もその火山としての寿命がつきるまでの間にさまざまな様式や規模の噴火を行う．しかし，それぞれの火山では一定期間，特定の様式の噴火が卓越することもある．このため，個々の火山の噴火の規模や様式の変化を含めた噴火履歴を解読することが火山

を理解し，防災に役立てるためにも重要である．このような
研究の基本は地質調査という古典的な手法である．過去の噴
火を調べるには，火山の山中をくまなく歩き，露頭とよばれ
る岩石や地層が露出している崖などで噴出物の積み重なりを
調べて，噴火の順番などを解き明かすとともに，岩石の化学
分析により，もとのマグマ組成を推定する．また，火山体の
調査だけでなく噴火によって遠方に飛散・堆積したテフラの
分布や量を測定することも重要である．

　長い間噴火をしていない火山の場合には，表面に侵食によ
る深い谷がつくられ，火山体内部の構造が直接見られる場合
もあるが，最近まで活発な活動があった火山では，侵食が進
まず，地表の調査だけでは内部を観察できない．このような
場合には，トレンチ調査といって，表層部を溝状に掘削して
人工的に露頭をつくり出す調査方法が用いられるが，地表か
らせいぜい数 m 程度しか掘削できない．もっと深い情報が
必要な場合は，ボーリング調査によって地盤に数百 m ほど
の深さの孔を掘り，その間の地層や岩石を取り出して調べる
ことになる．

　このような調査を通じて，それぞれの火山がどのような頻
度で噴火を繰り返してきたのか，どのようなタイプの噴火を
行ってきたのか，それぞれの噴火でどの程度の量のマグマの
活動があったのかなどを調べるのである．

　ある火山が数年ないし 10 数年後にどのような状況にある
のか，すなわち噴火しているのか，あるいは噴火しないで静
穏な状況にあるかを予測することは，防災上の備えや土地利
用などにとって重要である．長・中期的な予測のためには，

個々の火山の噴火に規則性があるかどうか，何らかの噴火様式が卓越しているかどうかなどの履歴を調べる必要がある．

噴出物による噴火規模の推定

　火山噴火の規模は噴出物量で表現されるので，噴出物の総量を調べることは重要である．新しい溶岩流の場合は，人工衛星や航空機などを利用すると正確に溶岩流の分布と厚さを測定できる．新たな噴火によって堆積した降下テフラについてもその堆積厚さを広い範囲で調査し，降下テフラの分布図を作成すると，テフラの体積，すなわちその噴火で噴出したマグマ量を知ることができる．しかし，実際には正確な降下テフラの分布図を作成することは容易ではない．通常は降下テフラの分布図から，等層厚線図を作成し，層厚と面積の関係から求めるのであるが，じつはこの作業には自由度が多すぎて，正確には求まらない．層厚数 cm 以下のテフラの分布を正確に把握したり，噴火地点から 100 km 以上離れた地点で，降下テフラとして認識することは困難である．実際，非常に細粒の火山灰の終端速度は大気の乱れと同程度なので，いつまでたっても降下せず，広い範囲に拡散してしまう．このような細粒火山灰も実際には無視できない量である．したがって，降下テフラの総量の推定には大きな誤差を含むことになる．

　噴火・堆積したばかりの噴出物においても，このような困難があるが，過去の噴出物の噴出物量の推定にはさらに多くの不確実性を伴う．火山灰層として堆積後，長い時間が経過しているため，自重や上位の地層の重みによって圧密という

現象が生じ，堆積時の厚さが保たれない．また，侵食によって堆積物が失われてしまい，堆積時の厚さとその誤差の推定すら困難な場合も多い．したがって，地質調査によって求められた地層の厚さから過去の噴火の噴出物量を推定し，噴火規模を求める際には非常に多くの誤差を含む．噴出物量の有効数字はせいぜい一桁程度と考えた方がよい．

噴火年代の推定

　噴火履歴の解明には，野外における噴火噴出物の調査に基づいて，噴出物の重なり具合や噴出物量だけでなく，それぞれの噴出物が堆積した年代，すなわち噴火の年代を決定する必要がある．

　文書記録がある場合には，記述された年月日によって噴火時期が特定できる場合があるが，文書記録の中には，噴火後数十年以上たってから，記憶や聞き書きに基づいて書かれたものもあり，記述が信用できない場合もある．そのため，古記録の記述に関しても詳細な検討が必要である．

　歴史時代以前の事象については，噴火年代の推定に広域火山灰を用いることができる場合がある．噴出物の間に，年代のわかった広域火山灰が挟まれるときには，上下の堆積物の年代の推定ができる．広域火山灰は巨大噴火によって噴出した火山灰が上空の風によって日本各地に運ばれ，堆積したものであるが，噴火から堆積に至るまでの時間はせいぜい数日程度であり，地質学的にはほぼ瞬間的な時間面とみなせるからである．しかし，全国規模の広域火山灰はそれほど頻繁に見出されるものではない．火山国とはいえ，カルデラ噴火の

ように全国に影響するような巨大噴火の発生は数千〜1万年に一回程度である.

　もちろん分布域が100 km程度のやや小規模な噴火でもたらされた火山灰でも，よく調べられて年代がわかっているものもあり，噴火頻度が高いことから細かな編年に使用できることがある．これらの情報は火山灰アトラスにまとめられている.

　火砕流や溶岩流の噴出年代を知るためには，火砕流や溶岩流の熱によって炭化した樹木の炭質物の炭素14年代（^{14}C年代）を求めることが多い．炭化した樹木が得られなくても，溶岩流の上下に土壌が発達している場合，土壌中の炭質物の炭素14年代を求めることができるので，溶岩流の年代を推定できる.

　しかし，炭質物や土壌が常に存在しているとは限らない．とくに何枚もの溶岩が積み重なるような場合には，植生が回復する前に溶岩が重なったりして，土壌の発達もなく，炭質物もあり得ない場合もある．そもそも富士山のように標高の高い火山で森林限界よりも高い場所で噴火した場合，植物などを取り込みようがない場合もある．もちろん，年代が古くなればなるほど^{14}Cの量は少なくなり，測定が困難になるので，この炭素年代法が使用できるのはおよそ数万年の範囲である.

　これよりも古い年代の溶岩については，カリウム – アルゴン年代法（K-Ar法）が適用できる場合がある．これは岩石中に含まれている放射性元素，^{40}Kが約13億年の半減期で放射壊変して^{40}Caと^{40}Arに変化することを利用する．この

場合には数万年前よりも若いと, ^{40}Ar が十分に生産されていないので, 測定精度が悪くなり, 正しい年代が得られない. アルゴン―アルゴン年代法 (Ar-Ar 法) という手法が用いられることもある. さらに古い年代については Sr 同位体などを使って求められる.

このような岩石の物理的化学的性質を利用した年代測定法の中には, 岩石の磁気測定により年代推定を行う手法もある.

一般に, 溶岩には磁鉄鉱が含まれ, 溶岩流が固結・冷却する段階でキュリー点温度とよばれる約550℃以下の温度で, 当時の地球磁場の方向に磁化される. このことを利用して, 溶岩流に保存された地磁気方向から年代を決定することが可能な場合がある.

この年代測定法は, 地磁気すなわち地球磁場が一定ではなく, 時代とともにその方向や強度が変化していることに基づいている. 現在の日本では真北に対して磁北が約7度西に傾いているが, 過去にも地球磁場が変化していた. このことは, 時代がわかっている古い年代の遺跡, 窯跡などの古地磁気を調べ, 地磁気永年変化曲線としてまとめられている. 地磁気永年変化曲線を富士山の緯度経度に補正し, 富士山の溶岩の古地磁気方位をプロットすることにより, 溶岩が固結する際に獲得した古地磁気が, どの年代に相当するかを求めることができる (図44).

この方法は溶岩流だけでなく, 火砕流堆積物に対しても適用できる. 高温の火砕流が定置した際には通常700℃程度の高温であるが, 冷却して磁化を獲得する際に当時の磁力方向

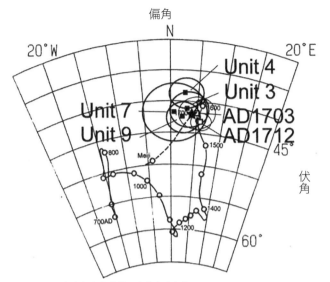

図44 地磁気永年変化曲線と富士山噴出物

を記憶するからである.

噴火の長期予測

　噴火の間隔が不規則な場合でも，次の噴火の時期を推定することが可能な場合もある．ある火山において，横軸に噴火年代を，縦軸に累積噴出物量をプロットした場合，階段状の変化が認められる（図45）．階段の間隔が不規則であっても，つまり噴火間隔が不規則であっても，階段をつなぐと一つの直線状に乗る場合がある．このような場合，ある期間に限定すると，マグマの平均的噴出量が一定であることを意味

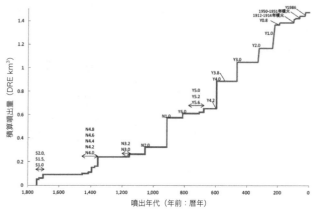

図45 伊豆大島の階段ダイアグラム（降下テフラ）

する．同じような状況が次の噴火まで継続するとみなすこと
ができれば，次の噴火の時期か次の噴火で放出されるマグマ
量を予測することができる．しかし，火山ではマグマの貫入
が起こっても噴火に至らない噴火未遂という現象も発生す
る．階段ダイアグラムは噴出物の量を用いて，噴火時期や次
期噴火の噴出量予想を行うが，本来ならば，噴火未遂の際の
貫入マグマ量を含めて議論すべきものであり，無批判な使用
は適切ではない．

　また，この手法によって次の噴火を数十年程度の精度で予
測するためには個々の噴火の年代が正確に知られている必要
がある．現実には先に述べたように，歴史時代の噴火記録で
すら正確でない場合がある．また，放射性元素を使用した噴
火年代の決定には必ず誤差が含まれる．炭素年代が使える数
万年以内ならば，かなりの精度で年代を決めることができる

場合もあるが，それ以前の年代については K-Ar 法や Ar-Ar 法を用いることになり，この手法で数十年オーダーの精度を得ることは困難である．このため，階段ダイアグラムによる噴火時期予測には大きな誤差を含むことを考慮する必要がある．さらに，先に述べたように噴出物量の測定には大きな誤差が含まれるので，この手法の適用には注意が必要である．

　2011 年の東日本大震災の後に公表された原子力規制庁による原子力発電所の立地に関する火山マニュアルでは，原子力発電所の 40 年間の稼働期間内に発電所に影響を及ぼすような噴火活動を起こす火山が 160 km 以内に存在しないことを示すために階段ダイアグラムの利用を示唆している．しかし，遠くの火山が原子力発電所に影響を及ぼすとしたらそのような火山はカルデラ噴火をする火山であり，カルデラ噴火の間隔は数千〜数万年である．間には見るべき噴火はほとんどない．したがって，数万年のタイムスケールで作成された階段ダイアグラムに基づいて，40 年以内の噴火可能性を議論することになるが，個々の噴火年代の誤差はとても数十年以内に収まらない．また，噴出量の推定精度はおそらく倍半分以上である．このように誤差の大きな階段ダイアグラムを使って，現時点から 40 年以内のカルデラ噴火の可能性を議論できると思うこと自体が間違っている．

第8章

火山災害

　自然災害とは，自然現象などによって人間の生命や生活が受ける被害のことである．つまり，火山災害とは火山噴火に伴う現象が我々人間の生活の場との接点で生じるものであり，たとえ火山噴火によって火砕流や溶岩流が火山の斜面を流れ下ったとしても，我々の生活の場がこれらの現象の影響範囲の外であれば，何の火山災害も起こらない．

　実際，我々の祖先が時折災厄をもたらす存在として火山を畏れ敬っていた時代には，火山に近寄らなかったであろうから，よほど規模の大きな噴火でない限り，火山災害を被ることは少なかった可能性がある．

　しかし，人口増とともに我々の生活の場が広がり，火山噴火に伴う現象との接点が増えるにつれて，規模が小さな噴火でも火山災害が発生するようになる．生活や修験のためだけでなく，趣味として火山に登る人も増えたことがその要因で

ある．さらに生活の場や形態が変化するにつれて，災害の様相も変化することになる．

　火山噴火に伴う現象については第1章で述べた．噴火現象には，地をはう流れもあり，空から降ってくるものもある．それぞれの現象によって生じる災害もさまざまである．以下では，これらの現象がどのような災害をもたらすかを考えてみよう．

溶岩流による災害

　溶岩流の流下速度は一般には早くないために，よほどのことがない限り，人命が失われることはない．人間が歩く速度の方が通常は速いので，溶岩流から逃げることは可能だからである．しかし，アフリカのニーラゴンゴ火山など粘性の低いマグマの活動が見られる火山では，回り込んだ溶岩流に退路をはばまれたり，飲み込まれたりして死亡するゾウやゴリラなどが目撃されたこともある．

　溶岩流はその化学組成にもよるが，800〜1200℃の高温であるため，流路にあたる部分に森林があれば，溶岩流に飲み込まれて炎上あるいは炭化してしまう．流下速度は遅くとも，密度は2400ないし2700 kg/m^{3}程度あるので，樹木の多くは押し倒され，通常の住居も破壊され，炎上することになる．

　溶岩流が湖などの閉鎖水域に流入した場合，マグマ水蒸気爆発を引き起こし，大小さまざまな岩片を放出し，近隣に飛散した大きな噴石による被害をもたらすこともあり，多量に

流入した場合，湖水の水位上昇によって，沿岸域での洪水や居住地の水没を引き起こす場合がある．

　わが国で発生した比較的最近の溶岩流災害としては三宅島1983年噴火があげられる．1983年噴火では三宅島火山の南東斜面に割れ目が生じ，この割れ目からマグマが数百 m の高さまで火のカーテンのように噴き上がり，その割れ目火口から溶岩流が流出した．15 時 15 分の噴火開始から約 2 時間後には，溶岩流は噴出位置から約 2.5 km の都道にまで達した．速度にして時速 1.3 km すなわち秒速 30 cm 程度である．この溶岩流はさらに都道から海岸に向かって流れ下って，西方に向かった溶岩流は 18 時には阿古集落に達し，住宅を燃やしはじめ，阿古小中学校をも飲み込んだ．南西に流れ下った溶岩流は 3 時間半で約 1.5 km 流下し，19 時頃粟辺集落に達して，住居の炎上がはじまった．この溶岩流は薄木溶岩流とよばれている．

　阿古集落に流れ込んだ溶岩流は，2007 年に阿古に「火山体験遊歩道」が整備された際に，災害遺構として保存・公開され，溶岩流が流れ込んだ小中学校の校舎やぐしゃぐしゃになった鉄骨などを観察できる．

投出岩塊（大きな噴石）による災害

　プリニー式やブルカノ式噴火などの爆発的噴火では火口からさまざまなサイズの岩石片がかなりの初速度をもって放出される．秒速数百 m となることも珍しくない．このような岩塊は投出岩塊あるいは放出岩塊とよばれ，火口から弾道を

描いて飛散する．このような投出岩塊は破壊力も著しく，鉄筋コンクリートの建物を壊すことも珍しくない．

1986年11月，桜島南岳火口から約3km離れた桜島古里地区の観光ホテルに直径2m，総重量5トンの投出岩塊が飛来して，建物の屋根を突き破って地下室にまで達し，宿泊客，従業員合わせて6人が負傷するという事故もあった．

火口展望が観光の目玉となっている阿蘇山では，山頂火口周辺で1953年に死者6人，負傷者90人あまり，1958年に死者12人，負傷者28人，1979年には死者3人，負傷者11人と，突然の噴火に伴う投出岩塊による災害が発生した．最近の例では阿蘇山2016年噴火による山頂火口のロープウェイ駅の被災がある．噴火活動の活発化を受けて，山頂部分は立ち入り禁止だったため人的被害はなかったが，鉄筋コンクリートの建屋などが大きな被害を受け，通常は火口見物で賑わう遊歩道上に1mを超す投出岩塊が散乱した．同様の被害は2021年噴火でも発生した．

2014年9月の御嶽山噴火での63人の犠牲者のほとんども投出岩塊によるものであった．2019年1月の草津白根山本白根山での突然の水蒸気噴火で投出岩塊に直撃されて，訓練中の自衛官1人が死亡，10数人の負傷者が発生した．

気象庁はこのような投出岩塊について「大きな噴石」という用語を用いる．これに対比されるのが「小さな噴石」で，ほぼこぶし大以下のテフラ，すなわち火山レキに相当するサイズのものをさす．噴煙とともに一旦，上空に運ばれたのち，風に流されて，火口から離れた地点に上空から降ってくるものを「小さな噴石」とするのである．このような命名は

居住地における火山災害という観点からの用法であり，学術上の命名ではない．数十 cm より小さい投出岩塊は火口から打ち出されても，空気抵抗のために 1 km 程度しか届かないために，火口から遠く離れた居住地まで影響をもたらす噴火現象という観点からは数 km 飛行する「大きな噴石」が重視されているのだろう．「小さな噴石」は防災上さして重要ではないと考えているのかもしれない．

確かに，投出岩塊のサイズが数十 cm を超えるようだと，飛行中の空気の抵抗の影響があまり大きくないため，数 km 程度の距離にまで達するが，10 cm よりも小さいと，同じような初速度で投出されたとしても空気抵抗のために 1 km 以内に落下することが多い．2014 年 9 月の御嶽山噴火のように，火口から 500 m 程度の距離にいた登山者には数十 cm 以上の巨大な岩塊だけでなく，数 cm ないし数十 cm 程度の岩石片も火口から砲弾のように飛来したのである．サイズの小さな岩石であっても，火口近傍にいる場合には凶弾となる．

また，気象庁は発表に際して，投出岩塊を「火口から弾道を描いて飛行する大きな噴石」とよぶが，表現が長たらしいためにマスコミなどでは単に噴石と称することが多い．このため「風に流される小さな噴石」も「弾道を描いて飛行する大きな噴石」も単に「噴石」と表現され，住民には区別がつかなくなって，混乱を招くことがある．防災用語としては，本来誤解を招くことのないわかりやすい用語を用いるべきである．

降下テフラによる災害

　こぶし大程度の岩片，気象庁用語の「小さな噴石」や火山灰は噴煙とともに上空に運ばれたのち，風に流されて上空から落下してくる．風の強さによっては，このようなサイズの火山レキは火口から 10 km 以上離れた地点でも落下してくることがある．発泡度の悪い火山レキの場合，空気抵抗のために減速するとはいえ，直径数 cm 程度でも落下時には時速数十 km 程度の速度をもつことから，自動車のリアウインドウなどが破壊される被害が発生することも多い．もちろん，人体にあたれば負傷することになるから，噴火時の風下側では建物などに避難する必要がある．

　密度の低い軽石の場合，直径 10 cm を超えるサイズのものでも噴煙柱に取り込まれて上空に運ばれ，風に流されて火口から 10 km 以上離れた場所に落下することがある．軽石は多数の気泡のために内部の冷却が進まず，中心部は数百℃の高温であることも多い．このような軽石が家屋等に落下して砕けると木造家屋などに着火し，火災の原因となる．たとえ砕けなくても，火山灰に埋もれると，冷却せずに内部の熱が拡散して，しばらくたってから火災を起こすこともある．実際，浅間山 1973 年噴火で軽井沢の宿場町で火災が起こったのも，富士山 1707 年噴火で須走の宿場町の一部が炎上したのも，このような大きな高温の軽石が原因であったと考えられる．

　湖や海に近い火山でプリニー式噴火が発生し多量の軽石が海面に落下するか，海面下で噴火が発生し，軽石が海中を浮

上すると，軽石は多数の空隙のために水に浮き，湖面や海面をびっしりと覆うことがある．海域の場合には潮流に乗って漂流し，港などに漂着して船舶の運航や漁業に被害をもたらすことがある．1977年の有珠山噴火では山頂の火口から放出された軽石が洞爺湖に降り注いで湖面を覆い，遊覧船の運航を妨げた．また，2021年8月に海底火山である福徳岡ノ場の噴火で大量の軽石が放出された後，台風と潮流とによって漂流し，数か月後に沖縄をはじめとしてわが国の太平洋沿岸の港に漂着し，フェリーや漁船の運航に多大な影響をもたらした．なお，海底噴火で放出された軽石のすべてが降下物であるかどうかは確かではない．福徳岡ノ場の軽石は海中で発泡して，浮上したもののも多いと考えられている．

大量の火山灰や火山レキが家屋の屋根に降り積もると，その重みのために屋根の崩落をもたらすことがある．ヴェスヴィオ火山のAD79年の噴火でも，ポンペイの家屋は石造りだったが屋根は木製なので軽石の重みで崩落して，一階の部屋に避難した人々が亡くなった例も多い．

1991年のフィリピンのピナツボ噴火では，体育館に避難した数百人が降雨によって湿った降灰の重みで落下した天井の下敷きとなり死亡した．噴火予知に成功して，事前に火砕流などから安全な地域に避難していたにも関わらずの悲劇である．一般の建築基準のもとでつくられた日本家屋は30 cm厚さに火山灰が堆積した状態で降雨があると倒壊の可能性があるが，柱の少ない体育館のような建物では10 cm程度の降灰で屋根がつぶれる可能性がある．しかし，豪雪地帯の家屋は分厚い積雪に耐えられるようにつくられているので，火

山灰の重量に対しても一定程度もちこたえる可能性はある.

　粒径が 2 mm 以下の通常の火山灰が我々の健康に直接の大きな被害をもたらすことはめったに起こらない. 通常は火山灰が降りしきる環境の中で作業を行うことはないからである. しかし, 道路の保守など作業に携わらなければならない人々にとって, 火山灰のうち粒径の細かいものに対しては注意が必要である. 目に入って角膜を傷付けたり, 吸い込んで呼吸器に障害をもたらすこともあるからである.

　江戸時代の富士山宝永噴火の際には, 火山灰が降り積もった江戸市中では咳き込む人や眼病を患う人が増えたという記録もある. 風で降り積もった火山灰が巻き上げられて被害を拡大したのである.

　いわゆる PM2.5, すなわち 2.5 ミクロン以下の火山灰そのものは細かすぎるので落下速度が小さく, 通常は単独では地表まで落下しない. しかし, 雨と一緒になったり, 比較的大きなテフラの周囲にくっついて火口に近い場所でも降下することがあり, その後乾燥すると多量の PM2.5 の火山灰が地表付近を舞うことになりかねない. したがって, 噴火時および火山灰が路上に堆積している状態で外出する際はマスクやゴーグルなどの着用が望ましい.

　人体よりも, 農作物に対する火山灰被害は甚大である. キャベツや白菜などのいわゆる葉物の場合, 1 mm 程度の降灰（積灰）でも, 枯死したり, 変色して商品価値を失ってしまう. 積灰量が多くなり, 10 cm を超えるような場合には, ほとんどの農作物は枯死してしまう.

　屋外で家畜を飼育しているような場合, 牧草に付着した火

山灰が家畜の発病を引き起こすことがある．これは火山灰そのものというより，火山灰に付着したフッ素や塩素などの火山ガス成分が悪影響を与えるものと思われる．有名な例として，アイスランドのラーキ火山が1783年に噴火した際，火山灰が付着した牧草を食べたアイスランドの家畜の半数以上が死亡したという報告がある．

沿岸域での降灰が深刻な漁業被害をもたらすことがある．とくにアワビやサザエなどの底棲の貝類に対する被害がよく起こる．

近代社会においては火山灰は，交通インフラを中心に多くの災害をもたらす（表2）．

航空機が火山灰混じりの大気をエンジンに吸入すると，エンジンの燃焼室で火山灰が溶融し，排出される際にエンジンシャフトにガラスとして固着することから，エンジン停止に至ることがある．エンジンに火山灰が入り込んで起きた事故としては，1982年にインドネシア上空を飛行していたブリティッシュエアウェイズの航空機の4基の全エンジンが停止した例がある．このような災害を防ぐために，世界の航空域を分割し，複数の国の機関が分担でその地域の火山活動をモニターしている．このような仕組みはVAACとよばれ，わが国では気象庁地震火山部に置かれ，日本だけでなく極東地域の火山活動による航空路への影響を監視している．火山灰の放出が検知された場合には，直ちに噴煙の到達高さなどが，各航空機に伝達されることになっている．飛行中の航空機からの目撃情報はパイロット情報として直接配信される．

2010年にアイスランドのエイヤフィヤトラヨークトル火

表2　交通インフラへの降灰の影響

道路	走行不能	降灰中	視程＜30 m
		＞10 cm	（降雨時＞3 cm）
	速度低下	＞1 mm	30 lm/h
		＞2 cm	20 km/h
		＞5 cm	10 km/h
鉄道	運行停止	＞0.5 mm	レールの通電不良
上水道	機能停止	＞1 cm	濾過機能低下
空調室外機	稼働支障	＞5 cm	
木造家屋	全壊のおそれ	＞45-60 cm	
電力	停電	＞3 mm 厚	降雨時の短絡

山が噴火した際には，風に運ばれた火山灰が南下してヨーロッパ上空に停滞していることが予想されたために，ヨーロッパの航空会社は4月15〜20日にかけて，多くの航空便をキャンセルした．このことによる経済的影響は10億ドルに達したと推定されている．

　火山灰は陸上の交通機関にも大きな影響をもたらす．火山灰が降っている間は道路の視程を悪くして，交通に多大な影響を与える．降灰が停止しても，道路上にわずかでも堆積がある場合には，自動車の通行によって火山灰を巻き上げるため，視程を悪化させる．このため，運行速度が極端に低下し，都市部では交通渋滞の要因となる．

　火山灰の堆積厚さが増えると，自動車の登坂能力が低下する．降灰厚さが10 cm以上になると二輪駆動車は通行不能になるが，降雨条件下では5 mm程度でもブレーキの利きが悪くなったり，通行不能になることもある．

　鉄道の場合，レールと車両間の微弱電流によって車両の位

置を判定し，運行を制御しているが，降灰厚さが 0.5 mm 程度でも電流が流れなくなり，運行指令室では電車の位置が把握できなくなる．また，踏切やポイント切り替えの制御も同様のシステムを利用していることから，少量の火山灰降下でも鉄道は停止せざるを得ない．さらに火山灰が降下し，レール切り替えのポイントに溜まると，人の手で除去しない限り列車の運行は不可能になる．地下鉄は大丈夫だと思われるかもしれないが，地下鉄には多くの地上線が乗り入れ運転を行っており，地上線が止まると乗員や車両のやりくりが付かず，結局運休に追い込まれる．

　火山灰には二酸化硫黄や塩素などの火山ガス成分が吸着しているために，送電線の碍子に火山灰が付着した状態で降雨にあうと，これらが雨水に溶け出して，導電性の液体となり，短絡が起こって停電が発生することもある．2015 年 10月の阿蘇山噴火の際には，変電所の碍子で短絡が生じて約600 戸が 6 時間あまり停電した例がある．また，国外では湿った火山灰が電線に付着して，その重みによって送電線がたわんだ挙句，断線が起こり停電が生じた例もある．

　また，火山灰に付着した火山ガス成分のせいで，上水道の浄水場や取水場に火山灰の降下があった際には水質が低下し衛生基準を満たせず，断水が余儀なくされる場合もある．

　火力発電所の発電機は航空機のエンジンと基本的に同じ構造であるが，空気吸入口にはフィルターが装備されている．しかし，空気中に細粒の火山灰が漂っている際にはフィルターが目詰まりして，発電能力が低下したり，最悪の場合には停電につながることも懸念されている．また，大型建物の外

部に設置されている空調設備の冷却塔に火山灰が混入すると空調能力が低下することも実験からわかっている．災害時の救命拠点となる大型病院などがこのため機能しなくなるおそれもある．

　近代都市に多量の火山灰が降下した場合にどのような災害が発生するのか，じつはよくわかっていない．最近では南米などで大規模な爆発的噴火が発生した例はあるが，火山灰の多くは住民がほとんどいない原生林地域に降下し，都市部には影響がほとんどなかったし，わが国では近代都市発生以前の江戸時代の経験しかなく，近代都市が直接大量の火山灰放出を伴う爆発的噴火を経験したことがないからである．

　1年間に何百回も噴火が起こっている桜島の例を見れば，さほど火山灰災害を気にする必要はないといわれることもあるが，大規模噴火の際にはその経験はかえってあだになりかねない．確かに桜島は年間数百回の爆発を繰り返しているが，その都度放出される火山灰は多くても数万トン以下で，年間総量は500万トン程度である．ところが，300年前の富士山の宝永噴火では17億トンの火山灰が降り積もったのである．桜島の数百年分の火山灰が2週間で降り積もったことになり，鹿児島の経験をそのまま富士山噴火を想定した首都圏などを襲う大規模噴火に伴う広域火山灰に適用できないことは明らかである．

　都市部での広域火山灰対策として個人レベルでできることは，交通インフラの断絶と商品流通の停止に備え，各自が数日～1週間程度の水，食料の備蓄を行い，交通インフラの復旧まで生き延びることである．とくに飲料水の確保は重要で

ある．地震災害や風水害の場合，被災の翌日には自衛隊や行政の給水車が被災地に駆けつけるが，火山灰が降り積もった道路では除灰するまで給水車も通行できないのである．

火砕流による災害

火砕流は高温で高速の流れであるため，人間の生活圏に到達すると大きな災害をもたらす．高温のために，流路に森林や耕作地がある場合にはすべて破壊しつくされる．通常，到達範囲内の生物は火砕流の通過によって生命を絶たれる．巨大な岩石片を含む火砕流本体はもちろんのこと，火砕流本体の周縁部に発生する比較的濃度の低い火砕サージの部分でも，速度も速く，温度も高いことから被害は免れない．

火砕流は重力流の一種であることから，本体は河道などの低い部分を利用して流れるが，河道の中で停止・堆積すると河道が埋まってしまう．このため，その後の降水で土石流が発生したり，洪水を引き起こすことになる．

雲仙普賢岳の1990〜95年にかけての噴火では，溶岩ドームの成長に伴い，次々と火砕流が発生するようになり，6月3日には，43人が火砕流の犠牲になった．度重なる火砕流によって山麓に厚く堆積した火砕流堆積物は，その後の降雨による土石流の母材となり，頻繁に発生する土石流によって下流域の多くの住宅や田畑が被害にあった．

雲仙普賢岳噴火で火砕流という用語は一挙に日本中に知れ渡ることになった．しかし，多くの犠牲者を出したとはいえ，最大流走距離が6 kmというのは火山学的にはごく小規

模であり，火砕流とはこの程度のものという思い込みが怖い．インドネシアのメラピ火山では頻繁に溶岩ドームの崩壊に伴う火砕流を発生する噴火が生じ，通常は 10 km 程度しか流走しないのに，2010 年の噴火の際には 20 km まで流れ下り，多くの住民が犠牲になった．

融雪型火山泥流による災害

わが国の中部地方以北の火山は冬季には多量の雪に覆われることから，融雪型火山泥流に注意が必要である．積雪期に爆発的火山噴火が発生し，とくに高温の火砕流が発生したような場合，火口周辺の積雪がその熱で溶かされ，多量の水が火口付近に発生する．この多量の水が火山灰や斜面の土砂や森林を削り，土石流（泥流）として山麓を襲うことがある．

わが国では 1926 年（大正 15 年）の十勝岳噴火が有名である．5 月 24 日の正午過ぎから立て続けに起こった爆発的噴火で，中央火口丘の北西部が大崩壊し，高温の岩屑なだれが発生した．この岩屑なだれが山頂部の雪を溶かしつつ高温の土石流となったと考えられているが，火口から大量の高温の熱水が流出したことが融雪の原因だとする説もある．

高温の土石流が流下する途中で，さらに山腹の積雪を溶かして大規模な二次土石流となった．二次土石流は，美瑛川と富良野川に分かれて流下し，その流路の森林を破壊し，多量の流木とともに，ふもとの家屋，橋梁，鉄道の野田を破壊した（図 46）．山頂部で硫黄採掘にあたっていた 25 人の鉱山労働者を含め，死者 123 人，行方不明者 21 人の多数の犠牲

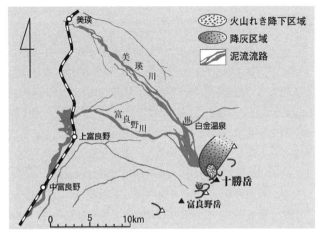

図46　十勝岳1926年噴火の融雪型火山泥流

者を出した．なお，土石流の速度は秒速46 m，富良野川渓谷内で秒速15〜20 m，平野部で秒速10 mという推定があり，時速にして数十ないし170 kmという高速であることがわかる．

　世界的に有名な例はコロンビアのネバド・デル・ルイス火山の1985年噴火である．11月13日に山頂部で爆発的噴火が発生，火砕流や高温の火山噴出物の熱で山頂近くの氷河や積雪が溶かされ，大量の水が発生して，噴火堆積物を巻き込んで土石流となって下流域に流下した．この土石流は山頂から約50 km離れたふもとの町，アルメロ市を襲い，約2万5000人が犠牲となった．このときの流速は秒速15 m程度であった．

土石流（ラハール）・洪水による災害

　一般に火山は透水性がよく，降雨は地面に浸透しやすい．
ところが，普段は水はけがよく土石流などが発生しないような火山でも，爆発的噴火が発生し，山体表面が細粒の火山灰に覆われると，突然，透水性が悪くなり，降雨によって土石流が発生するようになる．土石流の速度は時速100 kmを超えることも珍しくないことから，山麓では大きな被害が発生する．火山地域での土石流はその成因に関わらず，インドネシア語が起源のラハールとよばれることも多い．

　雨水の浸透性は火山灰の粒度によって大幅に変わる．1990～95年の雲仙普賢岳噴火の場合，水無川流域に大量に堆積した火砕流堆積物を母材として頻繁に土石流が発生し，下流の倒壊家屋は2500戸を超えた（図47）．1992年当時は，時間雨量が10 mm前後に達するか，連続雨量が30 mm程度になるとほぼ確実に土石流が発生していた．火砕流の本体から巻き上がったアッシュクラウドとよばれる部分は非常に細粒の火山灰からなり，火砕流が停止した後，ゆっくりと降下して火砕流の表面や周辺の地面を覆うが，この部分は石膏やアンハイドライトのような硫酸塩を含み，大気中の水分や少量の降雨によって，表面のモルタル化が促進されるので，透水率が極端に下がり，少量の降雨によって土石流が発生しやすくなっていたのである．

　1940年以来ほぼ20年おきに発生していた三宅島の通常の噴火では玄武岩質溶岩の流出が主体で，爆発的噴火を起こした場合でも島内では粗粒のスコリアが降下し，細粒の火山灰

図47　土石流に埋もれた家屋（雲仙普賢岳噴火）

が降り積もることはほとんどなかった．このため，2000年噴火までは島民も土石流を経験したことがなかった．しかし，2000年噴火はマグマ水蒸気噴火が主体で，非常に細粒の，小麦粉のような火山灰が山体を覆うことになった．この細粒火山灰の透水率は極めて低いため，比較的少量の降雨でも土石流が発生するようになり，当初は時間雨量4mmでも土石流が発生した．この例のように，水蒸気噴火やマグマ水蒸気噴火で飛散するごく細粒の火山灰には石膏などが含まれていることが多く，少量の雨で火山灰表面がモルタルのようにツルツルに固まり，その後の降雨をほとんど浸透させなくなる．

　初期の土石流によって山体にガリーが発達すると，降雨がこのガリーに集中的に流れるようになり，新しい火山灰がなくても基盤の土砂を侵食しつつ土石流が発生するようになっ

たが，このような土石流の発生にはより多くの時間雨量が必要となる．

　2011年の霧島山新燃岳噴火では，三宅島の経験に従って，4mm以上の時間雨量が観測されるたびに，土石流に対する避難勧告が何度も出されたが，実際には居住地に影響を及ぼすような土石流が発生することがなかった．この噴火では山間部には粗粒の軽石の火山レキが堆積したものの，細粒の火山灰はほとんど堆積しなかったため，透水率の低下は生じなかったのである．

　歴史時代に発生した火山噴火で，土石流災害が噴火後も長らく続いた例がある．1707年の宝永噴火では富士山から江戸に至る広い領域に火山灰が堆積したが，火山灰の層厚が10cm以上の地域では，降雨のたびに土石流が発生し被害をもたらした．さらに河川に流れ込んだ土石流が河床高さを上昇させたため，降雨による土石流が発生しなくなっても，洪水氾濫を引き起こして，相模平野を中心に長年被害をもたらし，実質的にこの地域の農業が破壊されたという．

山体崩壊・岩屑なだれ・津波による災害

　1888年，山頂部付近での水蒸気噴火が引き金となって磐梯山の小磐梯山頂が崩壊し，岩屑なだれとなってきた斜面を駆け下り，古長瀬川をせき止めた．この岩屑なだれによって北麓の5村，11集落がその土砂に埋もれ，477人が犠牲となる大惨事が発生した．

　このほかにも，山体崩壊による岩屑なだれの発生が各地の

火山で知られているが，必ずしも大噴火によってトリガーされたわけではない．中には噴火がまったく発生しなかったにもかかわらず，突然山体崩壊が生じたとしか考えられない例もある．2900年前の富士山東斜面で起こった山体崩壊では，御殿場泥流あるいは御殿場岩屑なだれとよばれる岩屑なだれが発生したが，この堆積物の前後には噴火の痕跡を示す堆積物や溶岩流が見られず，富士川沿いで発生した地震による揺れで崩壊したとする見方が優勢である．

　火山は地質学的には非常に短い時間で噴出物を積み上げて山を形成したものであり，褶曲運動などで長い時間をかけて形成される山岳に比べると，構造的にはぜい弱である．そのため小規模な噴火や山体近くでの地震による揺さぶりがトリガーになって大規模な山体崩壊が起こりうることは記憶にとどめておきたい．

　1980年のアメリカのセントヘレンズ火山の噴火では，デイサイトマグマの貫入と地震が山体崩壊の引き金になったが，山体崩壊の発生で，山体に貫入したマグマにかかっていた重しが瞬時に取り去られ，急激なマグマの圧力低下が生じたことが，プリニー式噴火の引き金となった．

　山体崩壊が起こり，岩屑なだれが流下した先に湖や海があれば津波を発生することがある．最近の例では，2018年12月22日にインドネシアのジャワ島とスマトラ島の間にあるアナ・クラカタウ火山が小噴火に引き続き，山体崩壊を起こし，崩れた土砂が水深200mの海底になだれ込んだため，津波が発生した（図48）．

　インドネシアでは2004年のスマトラ沖でのマグニチュー

(a) (b)

図48 山体崩壊で津波を起こしたアナ・クラカタウ火山. a：崩壊前, b：崩壊後

ド 9.1 の大地震で引き起こされたインド洋の津波被害以降, 世界各国の協力によって津波監視・予報システムが整備されていたが, 通常の津波監視・予報システムは地震発生で作動するために, 火山体崩壊による津波に対して無力であり, 津波警報が出されなかった. このため, 突然沿岸を襲った津波のために数百人が犠牲となった. なお, この山体崩壊によって, 火道のマグマが直接海水とコンタクトするようになり, 激しいマグマ水蒸気噴火が 2019 年 1 月の初旬まで続き, 火山島の様子は噴火前とはまったく異なってしまった.

　同様の災害はわが国でも知られている. 1640 年の北海道駒ケ岳では 7 月 31 日の噴火に引き続く山体崩壊による岩屑なだれが大沼と内浦湾とになだれ込み, 発生した津波によって 700 人以上が犠牲となった. また, 1741 年 8 月 29 日には北海道渡島半島の西方 50 km にある渡島大島火山で, 小規模噴火に伴って山体崩壊が起こり, 海中になだれ込んだ土砂のために対岸の渡島半島沿岸の松前から檜山に至る各地が津波に襲われ, 1500 人以上が犠牲となった.

　1792 年には雲仙普賢岳で噴火が進行中に発生した火山性

地震がきっかけとなって，古い溶岩ドームである眉山が崩壊した．有明海になだれ込んだ土砂が津波を引き起こして，島原半島だけでなく，対岸の熊本も含めて1万5000人以上が犠牲となった．崩壊地は島原だが，その被害ははるか離れた対岸の熊本（当時は肥後とよばれた）にまで及んだことから，この災害は「島原大変，肥後迷惑」と言い伝えられている．

　ところで，火山噴火に伴う津波発生は上記のような山体崩壊による海中への土砂の流入だけでないことが，2022年1月にトンガ王国のフンガ・トンガ＝フンガ・ハアパイの噴火で改めて指摘された．1月15日の海底噴火に伴う海底地形変化よる津波がトンガ王国内の各島を襲ったが，それ以外に噴火で発生した衝撃波が地球規模での気圧変動を引き起こし，これによって海面変動が生じて数千km以上離れた遠地で津波が発生した．このメカニズムによる津波はほぼ音速で伝搬するため，通常の海面を伝わってくる津波に比べ早く伝わるので，メカニズムを理解していないと津波警報の発出が遅れて，深刻な災害をもたらすこともありうる．

火山ガスによる災害

　マグマ中にはさまざまな気体成分が含まれているが，マグマが地殻内を上昇して噴火に至る際には，圧力の減少を伴うため，マグマ中の気体成分はその溶解度を超えて気泡としてマグマ中に析出する．この気体成分がマグマから分離すると火山ガスとして噴火前，あるいは噴火中に大気中に放出されることになる．火山ガスの圧倒的大部分は水蒸気であるが，

そのほかに炭酸ガス，二酸化硫黄，硫化水素などの有害なものも含まれる．

このうち二酸化硫黄は毒性も高く，植物を枯死させるとともに，人体の呼吸器系に悪影響を与える．また，金属を腐食させるため住居などが被害を受ける．低濃度の場合にはそれほど問題とならないが，大気よりも重いため，放出量が多いと居住地のある山麓部に停滞して高濃度となり，大きな被害が出ることもある．

通常，玄武岩マグマの方が安山岩マグマやデイサイトマグマよりも多くの二酸化硫黄を含んでいるため，玄武岩マグマの噴火の場合に被害が広がりがちである．

玄武岩マグマの噴火が続くハワイのキラウエア火山の場合，噴火が活発化すると日量1万トンを超す二酸化硫黄ガスが放出され，淡い青紫色の霧のようになって風下の山麓にたなびくため，smog（スモッグ）をもじって火山性のスモッグという意味でVOGとよばれ，おそれられている．

第3章で述べたように，わが国でも三宅島2000年噴火の際に二酸化硫黄ガスによる被害が生じた．8月末の低温火砕流の発生直後に，噴火の拡大をおそれて島外に避難した島民は，その後の噴火はほとんど発生しなかったにも関わらず，二酸化硫黄ガスによる大気汚染のために，4年半にわたって帰島がかなわなかった．

2000年8月末には最高量10万トンを超え，その後も2004年まで日量1万トンを超える日が続いた．通常の火山で火山活動の活発化の目安に使われる日量500トン以下となったのは2012年以降であり，10年以上にわたって，高濃度の二酸

化硫黄放出が続いたことになる．これによって，三宅村の居住地でも長年にわたって二酸化硫黄の濃度が高い地域が存在した．

　高度成長期の1960年代は四日市などの工業地帯で工場から排出される二酸化硫黄によって，ぜんそく症状が広まり，四日市ぜんそくなどとよばれたことがあるが，この三宅島2000噴火の際に放出され，島に停滞した二酸化硫黄の濃度は噴火後10年近くにわたって，四日市の濃度をはるかに上回るものであった．

　阿蘇山では噴火がない時期には火口展望が人気であるが，時折，二酸化硫黄濃度が上昇することがあるので，常時火山ガスのモニタリングが行われていて，ある濃度に達すると火口周辺からの退去が要請される．1986〜97年にかけて火口見物に訪れた観光客が二酸化硫黄ガスによってぜんそくの発作を起こし7人が死亡するという事故が発生したことをきっかけにこのような措置がとられるようになった．

　おそろしいのは二酸化硫黄だけではない．火山ガスとしては水蒸気に次いで2番目に多い二酸化炭素も死に至らせる場合がある．わが国では1997年に八甲田山で訓練中の自衛官3名が地面のくぼみに入った際に，空気よりも比重が大きいため，くぼみに溜まっていた高濃度の二酸化炭素のために死亡した例がある．外国では1986年にカメルーンの火口湖から突然噴き上がった二酸化炭素のために1746人が死亡し，多くの家畜も窒息死したという事件があった．この二酸化炭素突出そのものは火山噴火ではないが，火山活動の一環として火口湖に溶解していた二酸化炭素の突沸によるものである．

火山災害と犠牲者

　これまで火山噴火に伴う災害について述べてきたが，大規模火山噴火による気候変動や地球規模での異常気象に伴う飢饉などの災害死を除くと，多数の犠牲者が発生するのは山体崩壊による岩屑なだれや，津波，それに火砕流といったテフラの流れに伴うものがほとんどである．溶岩流は一般に流れる速度が遅いため，家屋や林野の被害が大きくとも，通常は人的被害は生じない．爆発的噴火に伴って放出される火山岩塊（大きな噴石）は激しい破壊力をもつが，通常火口から数kmに影響を及ぼし，居住地に被害が生じることは少ない．しかし，火口に接近する観光客や登山者が犠牲になることはある．

　最近のわが国の火山災害で100人を超えるような犠牲者が発生していないのは，火山観測技術の進展によって事前に噴火リスクが周知されるようになったというよりも，このような大規模な流れを伴う噴火が発生していないためと考える方が正しいであろう（図49）．今後，このような流れを伴う火山災害も当然発生するはずであるから，今のうちに噴火に対する予知技術の促進を図るべきであるし，火山活動が高まったときの万一のリスクに対処できるように個々人が火山噴火についての正しい知識を身に付けておくべきである．

火山噴火と気候変動

　通常の火山噴火に伴う大気汚染による災害は，火山噴火が

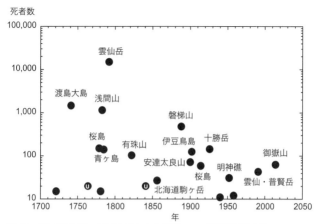

図49　18世紀以降の死者を伴う火山災害．uの記号は不確定数

　おさまり，火山ガスの供給が途絶えれば，居住地に停滞していた有毒ガスも拡散・消滅して，もとの大気を取り戻すことができる．

　規模が大きく激しい噴火の場合には，二酸化硫黄などは噴煙によって成層圏にまで運ばれ，人間の生活圏に流れ下ることは多くない．しかし，そのかわりに成層圏に長らくとどまって深刻な気候変動を数年以上にわたってもたらすことがある．

　成層圏にもたらされた噴煙中の二酸化硫黄成分は空気中の水分と反応して硫酸ミストとなり，長らく成層圏を循環する．この硫酸ミストが太陽光を吸収し，地表への太陽エネルギーの到達度を減少させるために，地球規模で寒冷化が生じるのである．この現象は，カール・セーガンらによって提唱

された「核の冬」になぞらえて「火山の冬」とよばれること
もある．「核の冬」は核兵器の使用に伴う爆発や広範囲の火
災によって巻き上げられた灰や煙などの大気中を浮遊する微
粒子が太陽光を遮断することによって生じるのであるが「火
山の冬」は成層圏を浮遊する硫酸ミストが原因となる．火山
専門家の中にも，成層圏にただよう細粒火山灰が気温低下を
もたらすと主張する人がいるが，火山灰は岩石の粉であり，
密度が大きいので，相当に細粒であっても1週間程度で大気
圏に落下して気温低下にはほとんど寄与しないと考えられる．

　最近では，1991年6月のフィリピン，ピナツボ火山の噴
火で翌年以降の北半球の年間平均気温が0.3℃低下した例が
よく知られている．また，1783年のアイスランド，ラーキ
火山の噴火では，北半球の気温低下が起こり，ヨーロッパを
中心に冷害が続いた．マグマ中の二酸化硫黄濃度は，ピナツ
ボ火山のようなデイサイト質のものに比べると，ラーキ火山
のような玄武岩質のものの方が数倍以上多いことから，玄武
岩質のマグマによる大噴火では長期にわたって気温低下が続
くことが予想される．

第9章

火山防災

　一旦，火山が噴火をはじめてしまうと，人力では噴火を止めることはできない．あらかじめ災害の影響が及ぶ範囲を想定しておいて，そこから速やかに離れる以外に，生命の安全を守る方法はない．

　そのためには，噴火がいつ起こるのか，どこで起こるのか，どのような様式の噴火となりそうか，噴火の影響はどこまでか，そして噴火はいつまで継続するのかを知ることが望まれる．これらを解決することが広義の火山噴火予知であるとされている．狭義には，いつ噴火が起こるかをあらかじめ公表することが噴火予知であるとする人もいる．しかし，火山噴火は，地震のように本震が災害発生のクライマックスとなり，その後は余震が続いたとしても発災の直後から復興作業に入ることができる現象とは異なる．噴火のはじまりの時期の予測だけでは火山災害から逃れるには不十分なのである．

火山噴火は通常一定期間継続する．ごく小規模な噴火を除くと単発的な噴火で終わることはむしろまれである．このため，最初に噴火が発生する時期を知ることは重要であるが，防災の観点からは，むしろ噴火がどのように展開するのか，噴火による災害が予想される範囲が拡大しないかどうかなどを正しく把握することの方がはるかに重要である．

　火山噴火は 1783 年の浅間山天明噴火のように，小噴火が数か月断続的に続いたのちに噴火のクライマックスを迎えることがある．断続的な小規模噴火の最終段階になって巨大な噴煙が激しく立ち上り，火砕流が発生し，溶岩流まで流出する現象が比較的短時間に起こることがある．

　また，1707 年の富士山宝永噴火のように，初日に最大級の爆発的噴火が発生し，その後は時折，短時間の休止期間を挟みつつも，2 週間以上にわたって，成層圏にまで達する噴煙を上げ続けるような爆発的噴火が継続することもある．あるいは，1914 年の桜島大正噴火のように，激しい爆発的な噴火ではじまるものの，1 日程度で比較的おとなしい溶岩流出に変わり，この溶岩流出が何か月か継続することもある．

　ほかにも，1990〜95 年の雲仙普賢岳噴火のように，溶岩ドームが成長と崩壊をくり返し，火砕流が頻繁に発生するような噴火を長年にわたって続ける例もある．また，2013 年に噴火を開始した西之島の場合は無人島なので，噴火によって具体的な災害は生じていないが，途中で数か月〜1 年程度の休止期間を挟むことはあったが，何年にもわたって溶岩流出を続け，時として激しい爆発的な噴火を引き起こした例もある．

このように，噴火の様式も展開もさまざまなので，噴火開始時期を予知するだけでは，火山災害を減らすことはできない．火山噴火が開始した後も，どのように活動が推移するかを正確に把握する努力が必要である．さらに，観測に基づいた適切な火山情報が住民や火山を訪れる人たちに適切に伝達される必要がある．また，火山ハザードマップなどが準備され，さまざまな噴火現象が影響を及ぼす範囲の見当が付いていないと，実際に現象が迫ってきた際にどのように危険から身を守るべきかわからず，混乱を招きかねない．

ハザードマップと防災マップ

　火山地域で地震が増えたり，地殻変動が観測されるような事態になると，噴火に備えて噴火現象の影響範囲を把握することが望まれる．火山ハザードマップは火山噴火実績などに基づいて，さまざまな噴火現象についてその影響範囲を地図上に表したものである．

　ハザードマップの作成にあたっては，その火山での過去の噴火を参照することになるが，参照する期間が短すぎると，その火山における噴火現象を網羅できず，想定外の噴火を迎えないとも限らない．火山防災マップはハザードマップに避難対象地域や避難先，方法といった避難計画の内容など住民にとって有用な情報を示したものである．

　後で述べる噴火警戒レベルはレベルごとに噴火の影響範囲が表示されているが，これは各火山のハザードマップに基づいて設定される．

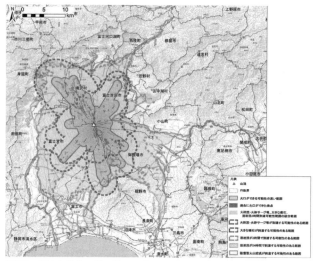

図 50　富士山統合ハザードマップ

　ハザードマップの作成にあたって，火口が生じる可能性の
ある想定火口範囲の推定に基づいて，想定火口範囲内のさま
ざまな地点から，さまざまな噴火現象が発生したときにどの
ような範囲に影響が及ぶかが，計算機シミュレーションなど
の手法を用いて推定され，地図上に表現されることになる
（図 50）．

　また，前にも述べたように，噴火が発生する以前には，ど
れだけの量のマグマが，どれだけの勢いで流れ出すかは，現
在の科学技術のレベルでは推定しようがない．このため，過
去の事例に基づいて，適切な噴出量や噴出率を想定してシミ
ュレーションを行うことになる．多くの場合，過去の現象で

最大規模のものを想定することが多いが，頻繁に噴火を繰り返すような火山では最も頻度の高い規模を想定することもある．いずれにせよ，噴火前に観測に基づいて噴火規模を予測することは現在のところ困難なので，既往最大や最頻度の規模を想定せざるを得ないのである．したがって，次に噴火が発生したときにハザードマップどおりに各現象の影響範囲が定まると思うのは間違いであり，あくまで参考とすべきものであり，臨機応変の対応が求められる．

　噴火に伴う溶岩流，火砕流，降下火山灰の分布域などが計算機シミュレーションの対象となることが多いが，シミュレーションの基礎となる物理モデルが単純化されていることもあり，シミュレーション結果を詳細に至るまで信じるのはやめた方がよい．ハザードマップに描かれた溶岩流などの影響範囲の外側が安全で，その内側が危険という判断をしてはいけない．避難訓練などを行う際の参考範囲と理解し，実際の噴火時には，観測に基づいた噴火規模に応じて，実際の避難範囲などを判断する必要がある．

　最近では，噴火が発生した直後に，現実の火口位置や噴出率に基づいて短時間にハザードのシミュレーションを行い，予測されたハザードの影響範囲に基づいて避難の実行に役立てようという構想もあり，リアルタイムハザードマップとよばれている．ただし，このリアルタイムハザードマップを正しく運用するためには，噴火開始後に火口位置を短時間で把握することや，マグマの噴出率の測定などが必要なのであるが，現時点ではこの手法が確立していないので，今後の技術開発によるところが大きい．

かつては，観光への影響をおそれる地元の反対もあって，火山防災の基本となる火山ハザードマップの作成が遅れるケースもあった．富士山でも地元の反対にあってハザードマップの作成は長らく困難であったが，2000〜01年の深部低周波地震の頻発を契機に，内閣府，地元自治体らの協力で，約3年をかけてハザードマップが作成され，2004年に富士山火山防災マップとして公表された．

　その後，産総研による10年以上にわたる地質調査を経て公表された富士火山地質図の改訂版では火口分布やその年代などについて新たな知見が付け加わったことや山梨県富士山科学研究所による調査研究の進展がきっかけとなって，富士山火山防災対策協議会でハザードマップ改定に向けての検討が行われ，2021年3月に改定版が公表された．2023年3月には改定ハザードマップに対応した避難計画が富士山火山避難基本計画として公表された．

噴火事象系統樹と噴火シナリオ

　火山噴火がどのように推移していくかを判断するためには，低頻度の大規模災害も含め，起こりうる可能性のある噴火現象とリスクを網羅した噴火事象系統樹の準備が重要である．どのような噴火事象や推移がありうるかは，地質調査による過去事例の調査と古記録を参照した歴史時代の噴火推移の解析，最近の噴火観測の記録などに基づいて作成される（図51）．

　噴火事象系統樹の事象分岐を確率表記し，俯瞰的な防災対

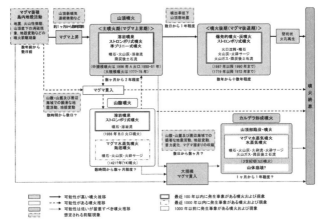

図 51　伊豆大島噴火事象系統樹

策を計画する方法もあるが，事象の発生確率を求めるのは容易ではない．多くは過去の発現頻度を確率として表現しているが，次の噴火の判断に使える保証はない．また，海外では，噴火発生時や噴火が予想されるような地震活動の高まりや地殻変動などの異常現象が発生した場合，専門家集団へのアンケート調査と協議を繰り返すデルファイ法という手法を使って，発生確率を表現する方法も採用されているが，常に成功しているとはいえない．

　噴火事象系統樹のうち，古記録などによって推移が比較的よくわかっている噴火例について，噴火シナリオとして取り出し，避難計画のタイムライン作成などに用いられることは多いが，あくまでも参考情報として取り扱い，次の噴火の推移を予想したものではないことを理解しなければならない．

　最近では，噴火発生前の地震活動や地殻変動の観測データ

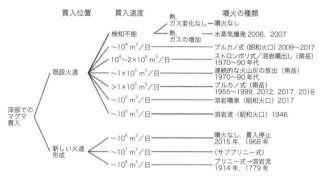

貫入位置	貫入速度		噴火の種類

熱，ガス変化なし —— 噴火なし

検知不能 ——< 熱，ガスの増加 —— 水蒸気爆発 2006，2007

~10⁴ m³／日 —— ブルカノ式（昭和火口）2009~2017

10⁴~2×10⁵ m³／日 —— ストロンボリ式／溶岩噴出し（南岳）1970~90年代

~1×10⁵ m³／日 —— 連続的な火山灰の放出（南岳）1970~90年代

既設火道 ——< >1×10⁵ m³／日 —— ブルカノ式（南岳）1955~1999，2012，2017，2018

~10⁵ m³／日 —— 溶岩噴泉（昭和火口）2017

~10⁶ m³／日 —— 溶岩流（昭和火口）1946

深部でのマグマ貫入 ——<

新しい火道形成 ——< ~10⁶ m³／日 —— 噴火なし，貫入停止 2015年，1968年

~10⁷ m³／日 —— （サブプリニー式）

~10⁸ m³／日 —— プリニー式→溶岩流 1914年，1779年

図52 マグマ貫入量観測に対応した桜島の噴火系統樹

に基づいてマグマ噴出率を予測し，マグマ噴出率ごとに噴火規模と様式を予測する手法を事象系統樹に採用する試みも行われている．図には，そのような例の一つを示した（図52）．しかし，このような手法がすべての火山に適用できるとは限らない．桜島のような十分に噴火観測事例がある火山でのみ可能なのである．

噴火の時期と推移の予測

噴火発生の事前認知には，短期的な火山噴火予測が期待される．短期的な火山噴火予測では，火山活動が高まり，噴火に向かっているかどうかを，主に地震や地殻変動などの物理観測や火山ガスの地球化学的分析によってとらえる．噴火によって危険が想定される範囲についてはハザードマップを活用する．

たとえば，より深部からのマグマの供給に伴うマグマ溜り

でのマグマの増量あるいはマグマ圧の上昇は GNSS 観測によって，想定火口を挟む 2 か所の観測点間の距離（基線長）の伸びとして観測できる．この伸びが継続する場合には噴火に向けての準備が進行中であるとみなすことができる．

　マグマ溜りからマグマが地表に向かって移動を開始するプロセスも，地殻変動として観測できる．地表付近の動きは GNSS 観測でもとらえられるが，人工衛星からのレーダー観測による InSAR や，火山体に設置された傾斜計の変化としてとらえやすい．

　頻繁に噴火を繰り返している桜島では，マグマ溜りからマグマが火口に向かって移動するような場合でも，地震が増加することは少ない．しかし，比較的噴火頻度の低い浅間山のような場合，マグマが浅所に移動する際には通常，地震が増加する．この違いは，マグマの通り道である火道が常に開放されているか，あるいは火道の新開発や再開発が必要であるかによる．

　地震回数の増大と地殻変動の組み合わせから，火山噴火を予測できる場合がある．このような例として，浅間山 2009 年噴火がある（図 53）．2 月 1 日に山頂の北 3 km 地点の傾斜計が山頂方向の膨張を示す山上がりの変化をとらえたが，ほぼ同時に山頂直下での地震活動が増加しはじめた．浅間山では同じような現象が 2004 年 9 月 1 日〜11 月までの期間に発生した数十回の噴火の数時間前に確認されていたことから，気象庁は噴火の発生を予測して，噴火警戒レベルを引き上げた．変動が確認されてから 13 時間後の 2 月 2 日早朝に山頂でのブルカノ式噴火が発生した．この噴火はごく小規模

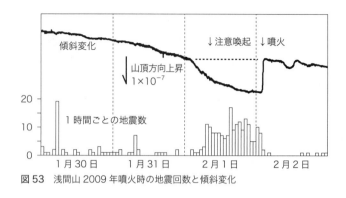

図53 浅間山2009年噴火時の地震回数と傾斜変化

なものであったが，北風で運ばれた火山灰が東京都内でも降ったために，メディアでも広く取り上げられた．

　しかし，この手法が常に有効とは限らない．2019年8月7日の噴火では，前兆となるような地震活動も地殻変動も観測されないまま，したがって噴火警戒レベルは1に据え置かれたまま噴火に至った．

　このように噴火の前兆把握として常に有効であるとは限らないものの，地震活動と地殻変動との組み合わせが，噴火直前に発生する例はほかにも多い．噴火の前に地震の回数はとくに増えなくとも，地震動の振幅が増大したり，低周波地震やB型地震が増えることもある．たとえば，第3章で述べたように，御嶽山2014年噴火でも噴火の11分前に火山性微動が発生し，やがて傾斜計が山上がりの地殻変動を記録しはじめた．噴火直前の動きであり警報を発出するには間に合わなかったが，水蒸気噴火でも火口の近くに観測点が設置してあれば，噴火の前兆をとらえることができる場合があること

を示している.

　火山観測は噴火時期の把握だけでなく，噴火発生後の推移の予測や噴火様式や規模が変化して災害の様相や範囲が変わることを把握するためにも重要である．このため，火山防災のためには噴火開始後も継続的な観測や，場合によっては観測項目を増やすことも必要になる.

　噴火が発生すると火口に近い観測点は壊滅的になることが予想されることから，噴火前から，噴火の影響が及ばない場所に基盤的観測点を設置し，観測点からのデータ伝送の経路や手段を冗長化しておく必要がある．防災は必ずしも効率化となじまない．噴火後，比較的安全で可能な限り火口に近接した箇所に臨時の観測点を設置したりするなどの臨機応変な対応も必要である.

　2004年9月の浅間山噴火に先立って地震活動が増加した時期に，GNSSによる観測では山頂を挟む約20 kmの基線長も伸長していた．この事実は噴火前には認識されておらず，噴火開始後のデータ見直しで発見されたものであるが，噴火に先立つマグマの浅所までの貫入をとらえたものであったと考えられた．浅間山でのGNSSの観測は1997年頃から行われていたので，さかのぼって，この測線の距離変化と地震活動を調べると，それ以前にも数回，2004年や2009年噴火時と同様の傾向が見られた．しかし，いずれの場合も噴火は発生していなかった（図54）．このことからすると，地殻変動と地震の観測から地下浅所へのマグマ貫入をとらえることはできるが，マグマが貫入したとしても噴火に至らない噴火未遂現象があることを明確に示している.

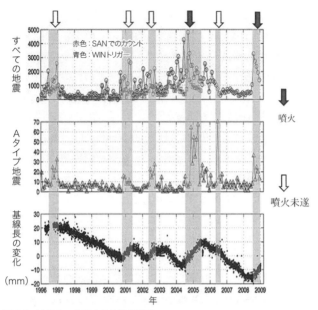

図 54　浅間山の地殻変動と地震活動

　比較的最近に経験した，別の噴火未遂事件についても述べ
ておこう．2015 年 8 月 15 日，桜島でそれまで観測されたこ
とのないような勢いで火山性地震が群発した．同時に島内の
伸縮計や傾斜計も異常な大きさの地殻変動を観測した．この
ため，1914 年の大正噴火並みの大噴火が発生することも念
頭に置きつつ，噴火警戒レベルが 4 に引き上げられ，火山噴
火に備えた．ところが，およそ半日後，地震活動は急激に低
下し，地殻変動も停滞することになった．後の解析では，桜
島火山の東側にある昭和火口の直下にマグマ貫入事件が発生

したことがわかったが，噴火には至らなかったのである．

　GNSS で地下のマグマ溜りの増圧と考えられる基線長の伸びが観測されると，次の噴火の弾込めが起こっていると噴火の切迫をあおる専門家もいるが，事態はそれほど簡単ではない．どこまで増圧すれば噴火に至るのか，あるいは増圧の閾値のようなものが存在するかどうかも含めて，いまだにわかっていないことは多い．

　前にも姶良カルデラの直下のマグマ溜りの増圧について述べたが，1914 年の大正噴火の直後から増圧は継続していて，マグマ溜りのマグマ量は大正噴火の 9 割ほど復活していると考えられる．この観測に基づいて桜島大正噴火の再来が予測されているものの，いつになるか現時点ではわからないし，その規模も大正噴火を上回るのか，それともはるかに小規模なもので終わるのかも予測できない．このように，物理観測によって火山活動の高まりをとらえることは可能であるが，噴火の発生時期や規模を予知することは容易ではない．

　伊豆大島でも GNSS の観測により，1986 年の噴火以降，マグマ溜りへのマグマ注入が続き，1986 年噴火で噴出したマグマ量をはるかに超える量のマグマが蓄積していると考えられているが，35 年経過した現在もまだ噴火に至っていない．1779 年の安永噴火以降，中規模噴火の間隔がほぼ 34 年であったことを考えると，もはやいつ噴火が発生してもおかしくないと考えられるが，噴火が規則的に生じるとは限らないので，直前の異常を確実にとらえ，防災に活かすほかない．

噴火警戒レベルと噴火速報

　世界の火山国では早期警報システムを導入し，上述のような火山観測によって活動の高まりをとらえて，警報を出したり，噴火現象の展開を把握して警戒のレベルを上げ下げする．行政はそのレベルに応じて，住民，来訪者に避難の提言など適切な情報を提供することを行っている．

　わが国の火山噴火に関する早期警報システムの主要な役割を期待されているのが，噴火警戒レベルである．これは，2007年に気象庁が気象業務法を改正して導入したもので，それまでは地震や火山噴火のような地象については，気象と違って事前に発生を検知できないので予報や警報の対象としていなかった．しかし，火山噴火については万全ではないにしても，ある程度観測によって事前に発生の検知ができる場合があるとして警報システム，噴火警戒レベルが導入された．2021年3月時点で，50の常時観測火山のうち，硫黄島を除く49の火山に導入されている．硫黄島には自衛隊が常駐し，住民はいないことになっているので，今後も導入されることはないかもしれない．

　噴火警戒レベルは1〜5までの5段階に分かれ，レベル2以上が警報，レベル4以上が特別警報となっている．噴火警戒レベルの特徴の一つは噴火が発生したときに影響が及ぶ範囲が，住民の居住地にどれだけ近いかで決められていることにある．レベル4，5が特別警報となっているのは，居住地に影響を及ぼすような噴火に対応して定められているからである．

種別	名称	対象範囲	噴火警戒レベルとキーワード		説明		
					火山活動の状況	住民等の行動	登山者・入山者への対応
特別警報	**噴火警報（居住地域）** 又は 噴火警報	居住地域及びそれより火口側	レベル **5**	避難	居住地域に重大な被害を及ぼす噴火が発生、あるいは切迫している状態にある。	危険な居住地域からの避難等が必要（状況に応じて対象地域を判断）。	
			レベル **4**	高齢者等避難	居住地域に重大な被害を及ぼす噴火が発生すると予想される（可能性が高まってきている）。	警戒が必要な居住地域での高齢者等の避難、住民の避難の準備等が必要（状況に応じて対象地域を判断）。	
警報	**噴火警報（火口周辺）** 又は 火口周辺警報	火口から居住地域近くまで	レベル **3**	入山規制	居住地域の近くまで重大な影響を及ぼす（この範囲に入った場合には生命に危険が及ぶ）噴火が発生、あるいは発生すると予想される。	通常の生活（今後の火山活動の推移に注意、入山規制）。状況に応じて高齢者等の要配慮者の避難の準備等。	登山禁止・入山規制等、危険な地域への立入規制等（状況に応じて規制範囲を判断）。
		火口周辺	レベル **2**	火口周辺規制	火口周辺に影響を及ぼす（この範囲に入った場合には生命に危険が及ぶ）噴火が発生、あるいは発生すると予想される。	通常の生活（状況に応じて火山活動に関する情報収集、避難訓練への参加等）。	火口周辺への立入規制等（状況に応じて火口周辺の規制範囲を判断）。
予報	噴火予報	火口内等	レベル **1**	活火山であることに留意	火山活動は静穏。火山活動の状態によって、火口内で火山灰の噴出等が見られる（この範囲に入った場合には生命に危険が及ぶ）。		特になし（状況に応じて火口内への立入規制等）。

図55　噴火警戒レベルとキーワード

　わが国の噴火警戒レベルがほかの国の早期警戒システムと大きく異なる点は，各レベルが行政あるいは住民が取るべき行動と紐付けされている点である（図55）．レベルごとに，火口周辺規制，入山規制，避難準備，避難といった行動指示がキーワードとして示され，居住地域，火口周辺といった対象範囲も明示されていて，地方行政や住民にとってはわかりやすいものを目指している．したがって，噴火警戒レベルの段階は必ずしも噴火規模の大きさと整合しているわけではない．居住地が火口に近い場所にあるような火山では，たとえ噴火の規模が小さくともレベル5に相当することになる．火口から居住地までの距離は火山ごとに異なる．たとえば有珠山の場合，ほとんどの居住地は想定火口内にあるといってもよい．それに対して，浅間山の場合は火口から人の生活圏までは4km以上ある．したがって有珠山では，浅間山に比べて規模がはるかに小さい噴火でも，住民の避難を意味するレ

ベル4や5の噴火警戒レベルが発出されることもありうる.

　わが国の災害時の行動に関しては，災害対策基本法上，市町村長が避難指示を発することになっているが，一般に行政は災害を引き起こす自然現象については詳しくない．このため噴火警戒レベルの仕組みは火山地域の自治体の防災担当者には好評である．火山噴火に対して詳細な知識や経験のない行政官にとって，いざという場合の対応策が考えやすいからである．

　噴火警戒レベルの運用については，御嶽山2014年噴火でレベル1に据え置かれた状況で63人の犠牲者を出したことから，根強い批判もある．草津白根山の本白根山噴火で自衛官1人が死亡し，11人の重軽傷者が出た際にも噴火警戒レベルは1であった.

　しかし，火山噴火予知の技術が完成したものでない以上，噴火前に確実にレベルを引き上げられるとは限らない．とくに，この2つの噴火は水蒸気噴火であり，先にも述べたように監視観測によって認知できる前兆現象の把握は非常に難しい.

　もともと「一般の利用に適合する予報及び警報」として導入された噴火警戒レベルについては，趣旨の周知が適切に行われたとは思えない．気象庁が5段階のレベルを設定した時点で「一般の利用に適合する予報警報」という表現が，一般社会からは噴火は予知できるものと受け止められることを想定できなかったことに問題がある.

　あらためて強調しておきたいが，噴火予知が実現できていない以上，噴火警戒レベルは本来，防災情報であり，予知情

報ではないということである．何らかの異常が観測されれば，気象庁は早急にレベルを引き上げ，登山客や住民の安全を図るべきである．一旦レベルを引き上げて現地調査や追加の観測を行い，その結果を受けてレベルの継続あるいは引き下げを行えばよい．

　ところで，アメリカやイタリアなど，ほかの火山国の早期警報システムは，火山の活動の状況を4段階ないし5段階のレベルで示すだけで，わが国の噴火警戒レベルのような住民の防災行動にまで言及しない．このような国では，火山監視・調査研究にあたる機関と防災対応を指揮する機関の両方が国立の別組織として設置されており，火山監視・調査研究機関の監視情報と科学的判断情報が，防災対応機関に随時提供され，避難などの住民の防災行動については防災対応機関が指示することになっている．

　一方，わが国にはこのような常設の防災対応機関が設置されていないので，火山監視機関である気象庁が防災情報までカバーせざるを得ないという事情がある．しかも，市町村が火山防災の専門家を抱えるということは通常ありえないことから，気象庁が火山監視にあたるとともに，自治体や住民に対して防災情報を提供せざるをえない面もある．このため，わが国の噴火警戒レベルには，キーワードとしてではあるが防災対策に関わる情報が盛り込まれているのである．

　噴火警戒レベルは気象庁の常時観測火山にあらかじめ設定しておく火山情報であるが，それとは別に，噴火が発生した際にはその事実を知らせ，後続の登山者や住民に危険を知らせる情報が「噴火速報」である．この速報は御嶽山噴火を受

けて新たに制定されたもので，事後情報としての緊急地震速報と性格が似ている．気象庁が発出する火山情報の中には，もともと，噴火したことを知らせる「噴火報」というものがあるが，これは噴煙の高さなどを調査したうえで発出されることになっているので，どうしても 20 分程度かかる．このため，噴火発生後の数分以内の発出を目指して噴火速報がつくられたのだが，その後の運用については問題がある．

2018 年の本白根山の突然の噴火では発出されることがなかったが，これは気象庁自らが噴火発生を認識できなかっただけでなく，発見者通報を活かせなかったことによる．

2021 年の桜島では，噴火発生後 40 分もかかって噴火速報を発出したものの，根拠とした火砕流発生は事実誤認だったとして，後に撤回するという事態も生じた．これは，当初の後続客に危険を知らせるというより，噴火警戒レベルを引き上げるための予告として噴火速報が運用されているからである．運用に関しては改善すべき点も多い．

また，2022 年には大きな噴石が 2.4 km 以上飛散したとして噴火警戒レベルがはじめて 5 に引き上げられた．これ自体はあらかじめ定められた判断基準に従ったものであったが，鹿児島市街地の住民にも困惑と混乱が広がった．

桜島の噴火警戒レベルでは，居住地に影響を及ぼす噴火として 2 つの異なるタイプを想定している．一つは，通常の噴火の延長上であるが，やや強めの噴火が発生して大きな噴石が島内の居住地に到達する可能性がある場合である．今回の噴火警戒レベル引き上げは，この場合に相当する．もう一つは，1914 年の大正噴火のような大規模噴火の場合である．

この場合は桜島島内に限らず，海を隔てた鹿児島市街地や広範な地域に被害が想定される．このような2種類の噴火を想定した噴火警戒レベルの内容が必ずしも住民に周知されていなかったのである．

わが国の火山防災体制とその課題

わが国の火山防災の基本は活動火山対策特別措置法，通称，活火山法に定められているが，活火山法は2014年の御嶽山噴火災害を受けて2015年に大きく改正された．

これによると，常時観測火山のうち硫黄島を除く49の活火山周辺の国が指定する「火山災害警戒地域」にある自治体（2022年時点で23都道県と179市町村）は，国や警察，消防，火山専門家などとともに各火山に「火山防災協議会」を置くことが義務付けられた．協議会では，噴火警戒レベルの設定やこれに沿った避難体制の構築等の一連の警戒避難態勢について協議し，自治体の地域防災計画に噴火警戒レベルに応じた防災対策や噴火時の避難場所や避難経路などを記載することが義務付けられた．また，各市町村はロープウェイ駅やホテルなどの集客施設，避難要配慮者がいる福祉施設などを把握し，避難確保計画を作成することになっている．

このような火山防災対策のきっかけを与えるのが，火山観測に基づく噴火警戒レベルの引き上げ引き下げなど気象庁による火山情報であるが，ここには大きな課題が残されている．

わが国の火山防災の課題は，世界のほかの火山国との比較

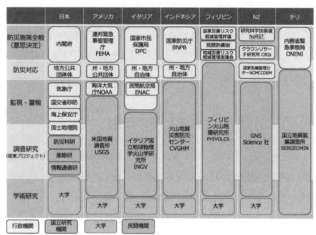

	日本	アメリカ	イタリア	インドネシア	フィリピン	NZ	チリ
防災施策全般 （意思決定）	内閣府	連邦緊急事態管理庁 FEMA	国家市民保護庁 DPC	国家防災庁 BNPB		研究科学技術省 NoRST クラウンリサーチ研究所 CRIs	内務省緊急事態局 ONENI
防災対応	地方公共団体	州・地方公共団体	州・地方自治体	州・地方自治体			
監視・警報	気象庁	海洋大気庁NOAA	民間航空局 ENAC				
	国交省砂防						
	海上保安庁				フィリピン火山地震研究所 PHIVOLCS	GNS Science 社	国立地質鉱業研究所 SERGEOMIN
	国土地理院			火山地質災害防災センター CVGHM			
調査研究 （国家プロジェクト）	防災科研	米国地質調査所 USGS	イタリア国立地球物理学火山学研究所 INGV				
	産総研						
	情報通信研						
学術研究	大学	大学	大学	大学	大学	大学	

行政機関	国立研究機関	大学	民間機関

図56　火山防災に関する各国の体制比較

から見えてくる.

　諸外国では活火山の観測, 調査研究, 火山情報の発信は基本的に国立の単一機関によって行われている. 火山のハザードマップもこの機関が作成する（図56）.

　ところが, わが国では火山情報の発出こそ気象庁に一元化されているが, それ以外の項目については多くの機関が関与している. 気象庁には火山地質の専門家がいないため, ハザードマップを作成する能力はない. 観測は気象庁が中心となっているものの, 大学やほかの省庁に属する研究機関の観測データが気象庁に提供されることにより成立している.

　大学, 各研究機関からのデータは気象庁に提供され, 火山噴火予知連絡会で各火山の活動度が議論されるが, 火山噴火予知連絡会は気象庁長官の私的諮問機関という位置づけであ

り，予算も権限もない．各火山の調査研究は大学や研究機関の内部予算によって行われており，調査内容を調整したり，統括する機関はない．一言でいえば，火山防災のプレーヤーは多いが，その連携をコントロールする司令塔が存在しないというのが，わが国の火山防災の実情である．

　一方，地震については，地震調査研究推進本部，通称，地震本部があり，文部科学省が事務局を務める政府機関である．そのため，調査研究のための予算をもち，大学や研究機関に研究委託を行い，その成果を地震防災に活用している．諸外国のような単一の研究機関ではないものの，全体を統括する司令塔は存在しているのである．

　さらに問題となるのは，監視観測の中核である気象庁に火山学を専攻した職員はごくわずかしかいない点である．気象庁は現業官庁として，理工系の国家公務員試験合格者の中から職員を採用する．この際に火山学の専門家として採用されることがない．したがって，地震火山部に配属され，火山監視課や管区気象台で火山観測に従事する職員の多くは大学で火山学を専攻したことすらない．それでも，長年にわたって火山監視の職にあり続ければ，専門家として技量を高めることができるはずであるが，現実には他官庁と同様に2年程度で異動を繰り返す．大学や研究機関の研究者が数十年にわたって，火山研究に従事するのとは対照的である．

　諸外国では，火山の監視観測にあたっている機関は火山学の学位をもつ専門家を多く抱え，その周辺に気象庁職員のような技術者集団がいて，観測や調査研究にあたっている．ところが，日本の気象庁には火山学の学位をもつ専門家は一握

りで，大学の火山研究者が火山噴火予知連絡会を通じてアドバイスするという仕組みを取っている．しかし，大学の研究者の本務は大学における教育・研究であるから，いわばパートタイムのボランティアの域を出ない．

　現在，桜島などの活発な活動を続けている火山には大学が観測所を設置し，複数の研究者が観測を行っていることから，これらの火山は専門家による火山活動の監視が行われているとみなしてもよい．しかし，大学の観測所がない火山が活動をはじめた場合には，非専門家である気象庁に火山活動の判断をゆだねなければならない．

　多くの活火山を抱えるわが国としては，ほかの火山国と同様，火山専門家を中核にもつ国立の調査研究機関を設置すべきである．しかも重要なことは，現在の気象庁や大学の観測所のように物理観測に特化することなく，地球物理学，地質・岩石学，地球化学など，火山学の全研究分野を網羅すべきで，ハザードマップを自ら作成できる能力ももつべきである．

　ここで言いたいことは，世界でも突出した機関をつくれということではない，世界標準の機能をもつ機関をつくるべきだと言っているに過ぎない．さもないと，100年近く活動度の低い状況で推移したわが国の火山活動が，かつてのように活発化したときに火山防災で苦労することになるであろう．

第10章
火山の恵み

　火山は噴火しているときには災害をもたらすおそろしい存在であるが，さまざまな恩恵を与えてくれる存在でもある．火山の一生から見ると，噴火している期間は休止している期間に比べてはるかに短い．火山が噴火している間は火山から離れて噴火災害を被ることから逃れ，火山が静かなときには火山の恵みを享受することが，火山国に生活する我々の取るべき姿勢であろう．

　火山の恵みとしては，風光明媚な地形が代表的なものであるが，豊かな温泉や美味しい水，あるいは熱エネルギーや鉱物資源など，あまり意識しないまま恩恵にあずかっているものも数知れない．

風光明媚な地形

　活火山は最近 1 万年以内に活動した火山をさすが，火山としての形状を残している第四紀の火山は活火山も含めて 250 以上ある．国立公園は国民が自然に親しみ，英気を養うことを目的に設置されるものであり現在 34 か所あるが，そのうちの 20 の国立公園は公園内に火山を含んでいる．また，深田久弥が日本の百名山として選んだ山のうち半分は火山である．また，全体の約 3 分の 1 を活火山が占め，しかも約 4 分の 1 が気象庁の 24 時間監視の対象となっている常時観測火山である．あるいは 50 の常時観測火山の半分が百名山に含まれるといった方がわかりやすいかもしれない．

　火山によってつくられた地形は我々にくつろぎを与える．また火山は一般に地形的に高いことから遠くまで広く見渡せることも多く，絶景を楽しむこともできることから，国立公園や百名山に火山が多く含まれるのであろう．

温泉

　温泉も火山がもたらす恵みの代表例である．雨水は河川に流れ込むだけでなく，地下深くに浸透し，地下水となるものも多い．このような地下水が，火山の熱によって温められ，地下で熱水として蓄えられる．この熱水がゆるやかに地表に漏れ出すと，地表の噴気や温泉となる．

　火山の熱で温められるといっても，必ずしもマグマが地表近くまで移動してくる必要はない．地下深くにあるマグマか

ら分離した高温の水を主体とする気体成分が地表に向かって移動し，地下水と混じりあえば高温の熱水がつくられる．

　熱水は天水とマグマ起源の水との混合あるいはマグマ起源の高温岩体との反応によってつくられ，熱水に由来する温泉の成分はさまざまである．塩化物泉，硫酸塩泉，炭酸水素塩泉など，同一火山であってもマグマの通り道である火道からの距離に応じてさまざまな性質の温泉が湧き出ることがある．

　現在活動中の火山だけが温泉の元になるわけではない．かつて活動的であった火山の地下深くには，地表まで噴出しないままに終わったマグマが潜んでいる．すでに冷却を続けているが，そのマグマ量によっては完全に冷えてしまうまでには大変長い時間を要する．活動していた時期のマグマ量にもよるので一概には言えないが，マグマが活動を休止したのち数百万年たっても，100℃以上の温度を保っているケースは普通のようである．このため，古い火山であっても地下に高温の岩体を隠していることになる．地表の侵食により，地下水レベルがこの高温の岩体の近くまで到達するようになると，地下水はこの熱源によって，温められ，温泉のもととなる熱水をつくる．

　特殊な例として，火山から放出される高温の噴気（水蒸気）を利用して人工的に温泉をつくることができる．箱根山の大涌谷では1930年代から数百mの深さの掘削井をつくって，地中の高温の水蒸気を取り出し，この水蒸気に水を加えて適当な温度のお湯をつくり，温泉水として強羅などの温泉宿に配給している．

　もちろん，すべての温泉が火山由来のものとは限らない．

温泉法では，水温が25℃以上か，あるいはミネラル成分が一定程度含まれる場合は25℃以下の水温でも温泉として認められることになっているので，人工的に深いボーリングを行って深部から水をくみ出せば現在の温泉法の下では立派な温泉である．

地熱発電

地熱資源は，マグマの熱で高温になった地下深部に存在する．経済的な効率から，利用しているのは通常，地下500〜3000 m程度の深さの部分である．地熱発電の分野では，地下の熱水を地熱流体とよび，これが濃集している部分を地熱貯留槽とよんでいる．

地熱発電は，この地熱流体から取り出した蒸気で直接タービンを回すフラッシュ発電とよばれるものと，地熱流体を熱源として活用して，水よりも沸点の低い2次媒体をこの熱で沸騰させて蒸気をつくり，この蒸気でタービンを回すバイナリー発電とよばれるものに大別できる．

フラッシュ発電の場合，地熱貯蔵層に到達する生産井とよばれるボーリング孔を掘り，地熱流体を取り出す．この地熱流体は熱水と水蒸気の両方を含でいるので，気水分離機によって水蒸気と熱水を分離し，熱水は還元井とよばれる別のボーリング孔から地中に戻す．残りの高温の水蒸気を使って，タービンを回す．発電に使用した蒸気は冷却して温水として周囲の住居に配給されたり，発電に使用した蒸気を冷却するために使用される．この手法の問題点は，水蒸気に含まれる

図 57　地熱発電所の分布

硫化水素などをどう処理するかである．ハワイのプナ地熱発電所では，発生する硫化水素をすべて回収し，地下に戻す「全量還元法」を取っているが，コストはかかる．また孔井にスケール（蒸気からの沈殿物）が付着し，蒸気の減衰も起こるので，孔井の再掘削も必要となる．

　バイナリー発電の2次媒体としてはアンモニアやペンタン・フロンなどが使われるが，地下から取り出した地熱流体の温度が高くない場合に用いられる手法である．

　わが国には活発な火山活動があるため地熱発電のポテンシャルが高いのだが，必ずしも十分に地熱が活用されているとは言えない（図 57）．これは，火山地域の多くが国立公園や国定公園に含まれ，公園内では地熱開発のためのボーリングが認められていなかったことに原因がある．また，国立公園や国定公園からはずれていても，ボーリングによって温泉

の泉源が枯渇することをおそれた火山周辺の温泉施設が反対運動を起こすことも，地熱開発が遅れている要因となっている．実績からすると温泉地域の近くで地熱開発が行われても温泉の泉源が枯れた事実はないのであるが，観光業者の理解を得るのは難しいようである．

湧水

　火山地帯では湧水が豊富で，美味しい飲料水を得ることができる場合が多い．羊蹄山，富士山，阿蘇山などの周辺は名水百選などに選ばれている．これは，火山体が火砕物や溶岩の互層でつくられており，一見頑丈な一枚岩に見える溶岩流も高温のマグマから冷え固まる過程で無数の割れ目がつくられ，天然のフィルターの役割を果たすので，雨水がしみ込んでいく過程で濾過されるからである．たとえば兵庫県の玄武洞や，伊豆などで観光の対象となっている柱状節理なども，溶岩流が冷える過程で生じた割れ目である．しかし，これらの割れ目は複雑につながっているので滲透に時間がかかり，雨が降れば川の流れのようにたちまち湧水として出てくるわけではない．

　豊富な湧水で有名な富士山の場合，雨が降ってから，湧水として地表に出てくるまでには数十年を要することがわかっている．このような湧水は細かな溶岩の割れ目や降り積もった火山レキや火山灰の隙間などを伝わって地下を長い時間をかけて流れる間に濾過されて清澄な湧水となる．また，地下の温度と平衡になるため年間を通じて，比較的低い温度に保

たれることも特徴である.

　地下で長時間滞在するため，周囲の岩石との化学反応もある程度進み，湧水に含まれる極微量のミネラル成分にも個性が生じる．たとえば，バナジウムに富む富士山の玄武岩の特徴を反映して富士山の湧水にはバナジウムが約 60 ppm 含まれるものがあり，一部の飲料メーカーではこのことを売りにしている.

鉱物資源

　火山の地下では，マグマから分離した気体成分を含む熱水が浅所に向かって移動する過程で，既存の岩石と反応して，変質を促進しつつ，金属鉱物を沈積していく．このようにしてできた鉱床として，世界有数の品位を誇る鹿児島県の菱刈金鉱山が有名である．菱刈鉱山では 1 トンの鉱石から 30～50 グラムの金が回収され，世界の一般的な金鉱山ではトンあたり 3 グラム程度であるのに比べ 10 倍以上の高品位の実績を誇っている.

　火山活動に伴う金の濃集が活火山で見られる場合もある．たとえば青森県の恐山の山頂部の熱水性の火口湖の沈殿物には金が含まれている．金鉱床の形成が進行中なのである.

　このように有用な金属鉱床の生成に火山が深く関与していることは確かなのだが，実際にどのようなプロセスで金属鉱床がつくられるのかわかっていないことも多い．この理由は，先に述べた恐山のような例を除くと，多くの金属鉱床が火山の地下数百 m～数 km の深さにつくられるため，火山と

しての山体がしっかり残っている時期には地下の鉱床が発見されることはなく，火山性の鉱床が発見される所では，もはや火山が原形をとどめないほど侵食されていて，火山活動との関係の研究が困難であるためである．

　海底で活発な火山活動を行っている海嶺でも，海水とマグマの反応によって金属鉱床がつくられていて，潜水艇による観察でその現場が直接観察された例も多い．海底火山の割れ目からしみ込んだ海水が深部のマグマとの反応によって金属を含む熱水を生成し，この熱水が循環によって海底の表層部に銅，鉛，亜鉛，鉄，金，銀などの金属を海硫化物の形で供給する．この現場が，海底にできたチムニーとよばれる煙突状の穴から勢いよく熱水が噴き出している場所で，金属鉱床のほかに，熱水域に特有の生態系もつくり出している．

肥沃な土地

　火山によって地表にもたらされたテフラは植物の育成に有用なカリウムやリン酸などの有用なミネラル成分に富んでいる．このため，火山噴火の恵みとして，肥沃な土地をもたらすといわれることが多い．確かに植物の生育に必要なミネラルは豊富で，果樹などの樹木の成長には適しているようだが野菜などの作物の場合には実態はそれほど簡単ではない．

　噴火によって地表に堆積した火山灰台地では，火山灰の表面に二酸化硫黄や塩素などの成分が吸着しているため酸性の土壌を形成し，噴火直後は作物の育成には向かない．しかし，時間がたって風化し，いわゆる黒ボク土になると多量の

腐食が集積して，ホクホクの耕しやすい土壌となる．

　黒ボク土は火山岩起源であることから，農業に適したリン酸も量的には十分あるものの，同じく多量に含まれる活性アルミニウムとの結合力が極めて強く，リン酸を解放しない．このため，黒ボク土では作物がリン酸欠乏になって生育が悪くなる．そのままでは畑作にも向かないのである．しかし，リン酸肥料などを与えると，この欠点が改善されるので，黒ボク土が本来もつ通気性や排水性がよく，かつ，物理的にやわらかいという性質のため，耕しやすいという特徴が生きて，高原野菜の栽培などに広く利用されることになる．八ヶ岳や浅間山のすそ野に広がるキャベツ畑などはその例である．火山灰を肥沃な土地に変え，人間に有用なものにするためには人の介入も必要なのである．

　作物の場合は，火山灰土で活用するには人の介入が不可欠であるが，樹木の場合には有機酸を放出することでリン酸を吸収できる．そのため，火山灰土でも果樹園などを展開している場合も多い．

生活の場の提供

　噴火は時として災害を引き起こす災いであり，噴火直後はさすがに生活の場として活用することは無理である．ところが長い目で見ると，噴火によって人間にとって生活しやすい場が新たにつくられることも多く，実際，我々はその環境を活用してきた．

　海洋島の火山では火山噴火によって国土の増大や経済水域

の拡大が期待できる．すぐには新たにできた土地で生活することはできないとしても，飛来する海鳥の糞に含まれる種子や漂着した植物などが定着し，緑化が進むと人も住むことができるようになる．

ところで通常，人々は気づいていないけれど，かつて火山噴火によって蹂躙された大地も，時代がたつと，人間が生活し，居住空間を拡大することが可能な新たな土地に生まれ変わることが多い．

山体崩壊という現象は，巨大な量の土砂をほぼ瞬時に移動させる現象であり，もし人類の生活の場がその影響範囲内にあると，大変な惨事が生じる．多くの人命とともに，あらゆる資産が失われることになる．ところが，この山体崩壊によって発生した岩屑なだれが堆積することによって，それまでの急峻な斜面や深い谷などが埋め立てられ，ゆるやかな傾斜の斜面とそれにつながる平坦な土地がつくられる．

溶岩流や火砕流も同様である．流出した溶岩流によって平らな土地がつくられ，火砕流が堆積した場所にも広い，平らな土地が展開する．このような火山現象が発生した直後は，高温であったり，有害な火山ガスが付着していたりして生活できないが，しばらく時間が経過すると，生活に適したゆるやかな傾斜地や平地として活用できることになる．我々の先祖はこのような土地に定住し，集落を展開してきた．

このような例の一つに現在の御殿場市がある．この地域は2900年前に富士山の山体崩壊が発生し，生じた岩屑なだれが富士山の急斜面を駆け下り，箱根山の西斜面に乗り上げて最終的には停止した部分である．この岩屑なだれは御殿場岩

屑なだれ（御殿場泥流）とよばれているが，堆積物は比較的傾斜がゆるやかな広大な土地をつくったのである．分厚い堆積物が分布するために考古遺跡として発掘された例はないが，御殿場市の地下の一部には当時の縄文人の生活の跡が埋もれているかもしれない．

このように災害の裏返しで恵みとなる現象があるのも火山噴火の特徴でもある．

あとがき

　本書を書きはじめたときには，これほど時間がかかるとは思わなかった．途中まで書いたところで，火山に関する入門書的な書籍がいくつか出版されたので，今さら入門的な本を公刊することの意義を疑い，執筆を続ける意欲を失った時期もあった．

　私が若い頃には専門的な著作以外に火山に関しての一般的な読み物はほとんど入手できなかったが，最近では多くの火山の入門書が出版され，2014年の御岳山噴火災害以降はとくに多い．ところが，地球科学の研究者によるものではあっても，火山を専門として研究したことのない著者によって書かれた入門書の中には，著者が学生時代に学んだ古い知識が更新されていないためか，勘違いや誤りも多く含むものもある．このような本が火山の入門書として一般の人々に読まれ，誤った知識が定着することには耐えられないとの思いから，なんとか本書の執筆を続けた．火山噴火や火山防災の現状について正しい情報が伝わることを願ってのことである．

　本書の執筆が長引く間に，完成を楽しみにしていた生涯の伴侶，早苗が病に倒れ2年近くの闘病生活の後この世を去っ

た．失意のあまり一時期執筆を断念しようと思ったこともあったが，亡き妻に捧げることを目標に執筆を再開した．

　最終的に完成することができたのは編集部の前川純乃さん，堀内洋平さんのおかげである．とくに堀内洋平さんには本書の企画段階から今日に至るまで，長年にわたって励ましていただいた．厚く御礼を申し上げたい．

　本書が火山についての正しい知識を学ぶために役立ち，さらには火山防災に何らかの貢献ができれば幸いである．

参考文献

【本書を読んでさらに学びたいと思われる場合の参考文献を以下にまとめた．全体的に火山学をさらに深めたい場合には次の書籍を参照されたい】

久野 久（1976）『火山及び火山岩 第2版』岩波全書（久城育夫・荒牧重雄による改訂版）

兼岡一郎・井田喜明 編（1997）『火山とマグマ』東京大学出版会，p.240

鍵山恒臣 編（2003）『地球科学の新展開3 マグマダイナミクスと火山噴火』朝倉書店，p.212

西村太志・井口正人（2006）『日本の火山性地震と微動』京都大学学術出版会，p.242

東京大学地震研究所監修，藤井敏嗣・纐纈一起 編（2008）『地震・津波と火山の事典』丸善出版，p.188

ハンス‐ウルリッヒ シュミンケ（2016）『新装版 火山学Ⅰ：火山と地球のダイナミクス』（隅田まり・西村裕一 訳）古今書院，p.200

ハンス‐ウルリッヒ シュミンケ（2016）『新装版 火山学Ⅱ：噴火の多様性と環境・社会への影響』（隅田まり・西村裕一 訳）古今書院，p.242

吉田武義・西村太志・中村美千彦（2017）『現代地球科学入門シリーズ7 火山学』共立出版，p.397

【火山災害を総括的に扱ったものとして，以下の書籍がある】

宇井忠英 編（1997）『火山噴火と災害』東京大学出版会，p.232

伊藤和明（2002）『地震と噴火の日本史』岩波新書，p.222

池谷 浩（2003）『火山災害―人と火山の共存をめざして』中公新書，p.208

主要な噴火災害について，中央防災会議，災害教訓の継承に関する専門調査会報告がさまざまな観点から検討を行っている．以下が同報告書で取り上げられた火山噴火である．いずれも内閣府防災情報，災害教訓の継承に関する専門調査会のページ（https://www.bousai.go.jp/kyoiku/kyokun/kyoukunnokeishou/）からダウンロードできる（2023年6月現在）．

・1707 富士山宝永噴火（平成 18 年 3 月）
・1783 天明浅間山噴火（平成 18 年 3 月）
・1888 磐梯山噴火（平成 17 年 3 月）
・1990-1995 雲仙普賢岳噴火（平成 19 年 3 月）
・1926 十勝岳噴火（平成 19 年 3 月）
・1914 桜島噴火（平成 23 年 3 月）

【わが国の火山防災体制を正面から取り扱った文献は少ないが，下記の文献
が参考になる】

藤井敏嗣（2016）「わが国における火山噴火予知の現状と課題」『火山』61.
　　pp.211-223. 日本火山学会

【火山噴火の恵みについて火山性土の問題を指摘している文献として，下記
の書籍が参考になる】

藤井一至（2018）『土　地球最後のナゾ―100 億人を養う土壌を求めて』光
　　文社新書

図表の出典

図1：気象庁「活火山とは」気象庁ホームページ．https://www.data.jma.go.jp/svd/vois/data/tokyo/STOCK/kaisetsu/katsukazan_toha/katsukazan_toha.html（閲覧日：2022年12月28日）

図2 (a)：筆者撮影

図2 (b)：筆者撮影

図3 (a)：山中佳子氏作成

図3 (b)：Hans-Ulrich Schmincke. (2004). Volcanism. Springer　をもとに作成

図4 (a)：山中佳子氏作成

図4 (b)：笠原慶一・杉村新 編 (1978)「変動する地球1現在および第4紀」『岩波講座地球科学』p.164．岩波書店

図5：筆者作成

図6：Cas, R. F. and Wright, J.V. (1987) Volcanic successions-Modern and ancient, Allen and Unwin, London, p.528.

図7：Newhall, C. G. and Self, S. (1982) The Volcanic Explosivity Index (VEI): An Estimate of Explosive Magnitude for Historical Volcanism. Journal of Geophysical Research. 87 (C2): pp.1231-1238.

図8：中田節也 (2014)「日本の火山噴火の現状と低頻度大規模噴火に備えた研究のあり方」『学術の動向』19巻9号．p.20．日本学術協力財団

図9 (a)：小山真人 (1998)「歴史時代の富士山噴火の再検討」『火山』43．pp.323-347．日本火山学会　をもとに作成

図9 (b)：宮崎努 (2003)「浅間火山活動記録の再調査」『東京大學地震研究所彙報』Vol.78, No.4．pp.283-463．東京大学地震研究所　をもとに作成

図10：国立天文台編 (2022)『理科年表2023』丸善出版

図11：高橋正樹ほか (2007)「貞観噴火と青木ヶ原溶岩」荒牧重雄，藤井敏嗣，中田節也，宮地直道 編『富士火山』pp.303-338．山梨県環境科学研究所

図12：Miyaji et al., 2011, High-resolution reconstruction of the Hoei eruption (AD 1707) of Fuji volcano, Japan, Journal of Volcanology and Geothermal Research, Volume 207, Issue 3, pp.113-129をもとに作成．

図13 (a)：筆者撮影

図13 (b)：筆者撮影

図14：中央防災会議 災害教訓の継承に関する専門調査会「災害教訓の継承

に関する専門調査会報告書　平成 18 年 3 月　1783 天明浅間山噴火」内閣府防災情報のページ．https://www.bousai.go.jp/kyoiku/kyokun/kyoukunnokeishou/rep/1783_tenmei_asamayama_funka/pdf/1783-tenmei-asamayamaFUNKA_02_kuchie.pdf（閲覧日：2022 年 12 月 28 日）を改変

図 15（a）：鹿児島市博物館提供

図 15（b）：中央防災会議 災害教訓の継承に関する専門調査会「災害教訓の継承に関する専門調査会報告書　1914 桜島噴火　第 2 章 大正噴火の経過と災害」内閣府防災情報のページ．https://www.bousai.go.jp/kyoiku/kyokun/kyoukunnokeishou/rep/1914_sakurajima_funka/pdf/05_chap02.pdf（閲覧日：2022 年 12 月 28 日）

図 16（a）：筆者撮影

図 16（b）：阿部勝征氏撮影

図 17（a）：筆者撮影

図 17（b）：筆者撮影

図 18（a）：アジア航測株式会社提供

図 18（b）：酒井慎一・山田知朗・井出 哲・望月将志・塩原 肇・卜部 卓・平田 直・篠原雅尚・金沢敏彦・西澤あずさ・藤江 剛・三ヶ田 均（2001）「地震活動から見た三宅島 2000 年噴火時のマグマの移動」『地学雑誌』110．pp.145-155．東京地学協会

図 19：国立天文台編（2021）『環境年表 2021-2022』丸善出版

図 20：国土地理院「GPS 連続観測結果　霧島山周辺」国土地理院ホームページ．https://www.data.jma.go.jp/svd/vois/data/tokyo/STOCK/kaisetsu/CCPVE/shiryo/kakudai140928/kakudai140928_no01.pdf（閲覧日：2022 年 12 月 28 日）

図 21：火山噴火予知連絡会「火山噴火予知連絡会拡大幹事会資料　御嶽山その 1」気象庁ホームページ．https://www.data.jma.go.jp/svd/vois/data/tokyo/STOCK/kaisetsu/CCPVE/shiryo/kakudai140928/kakudai140928_no01.pdf（閲覧日：2022 年 12 月 25 日）

図 22：吉本充宏氏撮影

図 23（a）：海上保安庁 海洋情報部「海域火山データベース　西之島」海上保安庁ホームページ．https://www1.kaiho.mlit.go.jp/GIJUTSUKOKUSAI/kaiikiDB/kaiyo182.htm#photograph（閲覧日：2022 年 12 月 28 日）

図 23（b）：アジア航測株式会社作成

図 24：東京大学地震研究所監修，藤井敏嗣・纐纈一起 編 (2008)『地震・津波と火山の事典』丸善出版

図 25：Davies, G. F. (1999). Dynamic Earth: Plates, Plumes and Mantle Convection: Cambridge University Press, p.458

図 26：川勝均 (2002)『地球ダイナミクスとトモグラフィー』朝倉書店

図 27：筆者撮影

図 28：大谷栄治 (2018)『地球内部の物質科学（地球科学入門シリーズ）』共立出版

図 29：兼岡一郎・井田喜明 編 (1997)『火山とマグマ』東大出版会

図 30：筆者作成

図 31 (a)：Nakajima et al. (2001). Three-dimensional structure of Vp, Vs, anad Vp/Vs beneath northeastern Japan: Implications for arc magmatism and fluids. Journal of Geophysical ResearchJ, p.106

図 31 (b)：筆者作成

図 32：筆者作成

図 33：東京大学地震研究所監修，藤井敏嗣・纐纈一起 編 (2008)『地震・津波と火山の事典』丸善出版

図 34：Sparks et al. (2019). Formation and dynamics fo magma reservoirs. Philosophical Transaction of the Royal Society A, DOI:10.1098/rsta.2018.0019. Royal Society

図 35：S.R.McNutt (1996). Seismic monitoring and eruption forecasting of volcanoes: A review of the state-of-the-art and case histories. In: R.Scarpa, R.Tilling. Monitoring and Mitigation of Volcano Hazards, pp.99–146. Springer-Verlag

図 36：井口正人 (1995)「火山性地震のメカニズムとその発生の場の解明にむけて」『火山』40（特別号）．S47-S57．日本火山学会

図 37：気象庁「富士山の火山観測データ」気象庁ホームページ．https://www.data.jma.go.jp/svd/vois/data/tokyo/opendata/opendata.php?id=314#pastdata0（閲覧日：2022 年 12 月 28 日）

図 38：藤井敏嗣 (2022)「富士山噴火にそなえる」『科学』Vol.92 No.7．pp.596-601．岩波書店

図 39：L. Siebert et al. (2010) Volcanoes of the World 3rd ed. University of California Press

図 40：京都大学防災研究所　地震予知研究センター・火山活動研究センター

「新燃岳の噴火」京都大学防災研究所ホームページ．http://www1.rcep.dpri.kyotou.ac.jp/events/110126kirishima/shinmoedake_svo_rcep.html（閲覧日：2022年12月28日）

図41：Nakamichi,H., Watanabe,H. and Ohminato,T.（2007）. Three-dimensional velocity structures of Mount Fuji and the South Fossa Magna, central Japan. Journal of Geophysical Research, Vol.112, B03310. Wiley

図42：Aizawa,H. et al.（2004）. Splitting of the Philippine Sea Plate and a magma chamber beneath Mt.Fuji. Geophysical Research Letters,Vol.31, p.31. Wiley

図43：筆者作成

図44：馬場ほか（2022）「富士火山，宝永山の形成史」『火山』67．pp.351-377．日本火山学会

図45：地質総合研究センター「日本の主要第四紀火山の積算マグマ噴出量階段図」地質総合研究センターホームページ．https://www.gsj.jp/data/openfile/no0613/42Izuoshima.pdf（閲覧日：2023年3月23日）

図46：筆者作成

図47：杉本伸一氏提供

図48（a）：吉本充宏氏提供

図48（b）：CVGHM（インドネシア）提供

図49：筆者作成

図50：富士山火山防災協議会及び富士山ハザードマップ検討委員会「富士山ハザードマップ（令和3年3月改定）」静岡県公式ホームページ．https://www.pref.shizuoka.jp/bousai/documents/23_hazardall.pdf（閲覧日：2022年12月28日）

図51：川辺禎久（2007）「伊豆大島 つぎの噴火 —噴火シナリオの作成とその意義」『地質調査総合センター研究資料集 地質学的手法による火山活動予測〜火山災害の軽減を目指して〜』No.470．pp.29-32．産業技術総合研究所

図52：井口正人ほか（2019）「マグマ貫入速度による桜島火山における噴火事象分岐論理」『火山』64．pp.33-51．日本火山学会

図53：Fujii,T. and Yamasato,H.（2015）. Integrated Monitoring of Japanese Volcanoes In: John F. Shroder and Paolo Papale. Volcanic Hazards, Risks and Disasters, pp.445-459. Elsevier

図54：筆者作成

図55：気象庁「噴火警戒レベルの説明」気象庁ホームページ．https://www.

data.jma.go.jp/svd/vois/data/tokyo/STOCK/kaisetsu/level_toha/level_
toha.htm（閲覧日：2022 年 12 月 25 日）

図 56：Nakada,S., Miyagi,Y., Kubo,T., Fujita,E.（2019）. Conveying Volcano
Information Effectively to Stakeholders-A New Project for Promotion of
Next Generation Volcano Research. Journal of Disaster Research, 14,
pp.623-629. Fuji Technology Press　を改変

図 57：地質調査総合センター（2009）「日本の地熱発電」エネルギー・金属鉱
物資源機構 地熱資源情報．https://geothermal.jogmec.go.jp/information/
plant_japan/（閲覧日：2022 年 12 月 28 日）

表 1：曽屋龍典・勝井義雄・新井田清信・堺幾久子・東宮昭彦（2007）
『No.2 有珠火山地図（第 2 版）1:25,000』産総研地質調査総合センター
をもとに作成

表 2：内閣府のデータをもとに作成

索　引

著者紹介

藤井　敏嗣（ふじい・としつぐ）

東京大学名誉教授．NPO法人環境防災総合政策研究機構　環境・防災研究所所長．山梨県富士山科学研究所所長．理学博士．マグマ学・岩石学の第一人者として火山研究の第一線で活躍．ピナツボ火山や雲仙普賢岳，伊豆大島など国内外のさまざまな火山災害調査研究プロジェクトで中心的役割を果たす．2003年から14年間，火山噴火予知連絡会会長を務めた．

サイエンス・パレット 038

火山 ── 地球の脈動と人との関わり

令和 5 年 6 月30日　発　行

著作者　　藤　井　敏　嗣

発行者　　池　田　和　博

発行所　　丸善出版株式会社

〒101-0051 東京都千代田区神田神保町二丁目17番
編集：電話（03）3512-3265／FAX（03）3512-3272
営業：電話（03）3512-3256／FAX（03）3512-3270
https://www.maruzen-publishing.co.jp

組版印刷・製本／大日本印刷株式会社

ISBN 978-4-621-30809-7　C 0344　　　　　Printed in Japan